JN114759

# 知的財産法講義ノート

## —ブランド保護法入門—

[改訂版]

益子　博

東京図書出版

# はしがき

本書は、中央大学商学部における「企業法務 / 知的財産法」の講義内容を再現したものである。

講義にあたっては、毎回詳細なレジュメを準備したのであるが、方針として、レジュメと講義は一体のものなので、欠席者分の取り置きはしないこととしてきた。しかしあとからあのときのレジュメがほしいという要望が後を絶たない。そこで、全体を事前に配付できれば予習も可能となり、学生にとっても便宜だろうと考え製本することにした。それが『知的財産法講義ノート』と題するテキストとなった。本書はこれをもとにしている。分量的には1回90分（2019年度から100分）の講義合計15回分に相当する。法律を初めて学ぶ者が多いことから、従来省略してきたあたり前と思われる初歩的な事柄にも触れ、法学部以外の学生にとって読む機会がほとんどないであろう審決や判決も全文掲載して参考に供した。標識法（商標法および不正競争防止法）の基礎的な解釈理論を中心とする内容であり、自習用として全体を通読していただければ、ブランド保護に関する知的財産法の基本的事項を理解していただけるものと思う。

世界中で猛威をふるった新型コロナウイルスの混乱で、2020（令和２）年度の講義は急遽オンライン授業に切り替わり、対応できずにやむなく休講となって、2008年から12年に及んだ私の商学部での知的財産法講座は2019年度で終了した。テキスト『知的財産法講義ノート』は、受講者に学内のみで販売してきたものであるが、知財に興味をもたれ、知財関連の情報を必要とされている方々のお役に立てればと、このたび東京図書出版より出版させていただくこととなった。編集室の皆様には大変お世話になった。記して感謝申し上げたい。

本書が、「営業活動における標識」の分野の知的財産法を学ぶ一助となれば幸いである。

2021年10月

益子　博

# 改訂版によせて

初版刊行から２年半が経過した。知財法の分野は毎年のように改正があり、この間に知財法に影響する他分野でも重要な改正があった。そこで初版刊行以降の法令の改正をふまえて改訂版を出すことにした。その際、初版での記述の誤りを正すとともに、説明不足、繁簡の不揃いを多少とも補った。また、テキストとしての性質上、私見を述べることは極力避けてきたのであるが、この機会に私なりの見とおし図を提示しようと試みた。大方のご批判を仰ぎたいと思う。なお、現時点で施行日が未定な改正についても、すべて改正条文で対応した。諒とされるようお願いしたい。

引き続き本書が、「営業活動における標識」の分野の知的財産法を学ぶ一助となれば幸いである。

2024年４月

益子　博

# 目　次

孤独な混迷期を公私にわたり支援してくださったジャーナリスト、仲衞、元毎日新聞論説委員・常葉学園大学教授（故人）。知財の世界に足を踏み入れるきっかけを与えてくださった弁護士、水田耕一、元東京地裁民事29部裁判官（故人）。社会人の私を学問の世界へいざなってくださった学者、盛岡一夫、東洋大学名誉教授。そして運命を共にできなかったＹに、本書をささげたい。

# 第1講　知的財産法を学ぶにあたって　── ガイダンス

## ■講義内容と方針

・「知的財産」とは、人間の創造的活動によって生み出される発明、考案、植物の新品種、デザイン、コンピュータプログラム、小説、絵画、音楽のような創作物と、商標、商号のような営業活動における標識、その他事業活動に有用な技術上または営業上の情報の総称である（知的財産基本法２条１項）。これらは財産的価値を有し、取引の対象となる。それぞれの内容に応じて特許法、実用新案法、種苗法、意匠法、著作権法、商標法、不正競争防止法などの法律が定められており、これらの法律を総称して「知的財産法」と称している。「知的財産法」という名の単一の法律があるわけではない。

・知的財産法がカバーする領域は上記のようにテクノロジーからブランド、デザイン、エンタテインメントまで広範囲であり、半期で全体を扱うのは無理であるため、本講座では、ブランド（営業活動における標識）に関する知的財産法を中心に講義する。扱う法律は、商標法、意匠法、不正競争防止法である（ブランドの問題にかかわる範囲で、著作権法にも触れる予定）。

・授業は１回ごとに完結しているわけではなく、各回が有機的なつながりをもっているため、途中で欠席するとおそらく理解不能に陥るだろう。必ず出席し、集中して学んでいただきたいと思う。

・毎回レジュメを用意する予定でいるが、レジュメは講義と一体のものなので、欠席者分の取り置きはしない。ご承知おきいただきたい（欠席した友人の分と称して、ごっそり持ち去る者がいるが、必ず１人１部にしていただきたい）。

・本レジュメ最後にあげた設問に答えられることを達成目標とするので、自身の理解度をはかるために、任意の１問についてレポートしてみることを勧める。義務とはしない。レポートはフィードバックする。なお、今年度の講義は第14講までとし、第15講目に試験を実施する予定。

## 1. 知的財産法の全体像

〈保護の対象による分類〉

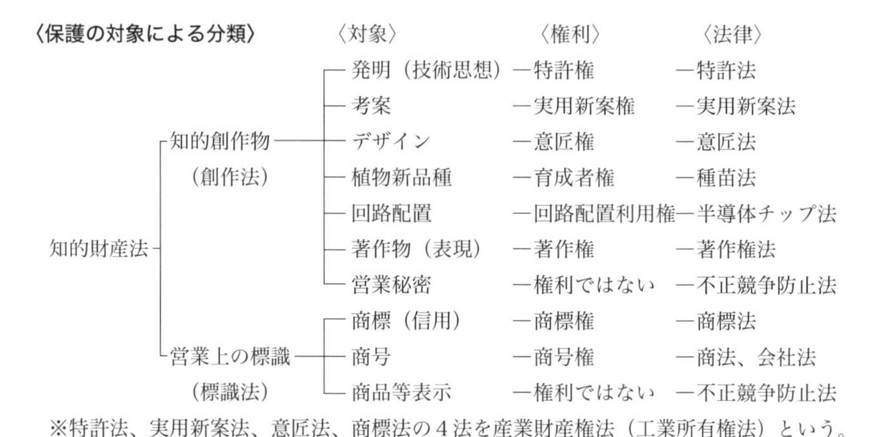


・知的財産法を保護対象の性質によって分類すると上記のようになる。大別すると、人間の知的創作活動の成果に関するもの（創作法）と、事業者の営業上の標識に関するもの（標識法）である。

・知的財産法の大きな目的の一つはフリーライド（ただ乗り）の防止にある。新たな創作物について模倣を放任したのでは研究開発への投資意欲を減退させる。標識について模倣を放任したのでは信用が毀損され、顧客はニセ物をつかまされて正常な取引秩序が乱される。模倣禁止の方法として、権利付与の方法と不正な競争行為を規制する２通りの方法がある。

〈保護の方法による分類〉

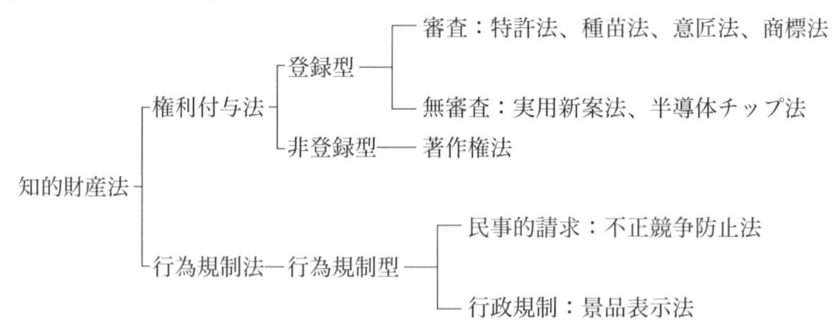

※景品表示法は差止請求権が認められていないので、狭義の定義では知的財産法に含まれない。

・保護の方法によって分類すると上記のようになる。権利付与型と行為規制型があり、特許法、意匠法、商標法などは権利付与型に属する。登録することによって権利が発生するが、登録するには特許庁の審査を受けなければならない。実用新案法、半導体チップ法は無審査である。権利付与型ではあるが、登録は不要で、創作と同時に権利が発生するものに著作権法がある（登録制度はあるが、権利発生要件ではない）。

・行為規制型として、不正競争防止法がある。民法不法行為と類似の法制であり、単に不正な侵害から保護するという方法で、権利として構成していない。したがって「知的財産権」ではないが、差止めを認め、工業所有権の国際的な枠組みであるパリ条約で、工業所有権の保護には「不正競争の防止に関するもの」が含まれるとしているため、知的財産法の仲間とされている（パリ条約１条⑵）。

## 2．財産権（法）の体系

・憲法29条は財産権は侵してはならないと規定し、私有財産制を保障している。これを受けて財産を保護する一般法に民法がある。民法が対象とするのは有体財産であり、知的財産法が対象とするのは無体財産である。

・民法と知的財産法は、物（有体物・無体物）の生産と流通を柱とする現代社会の経済活動を支える基盤である。両者は対立するものではなく、知的財産権は民法上の権利として保護され、その権利侵害に対する救済には民法上の

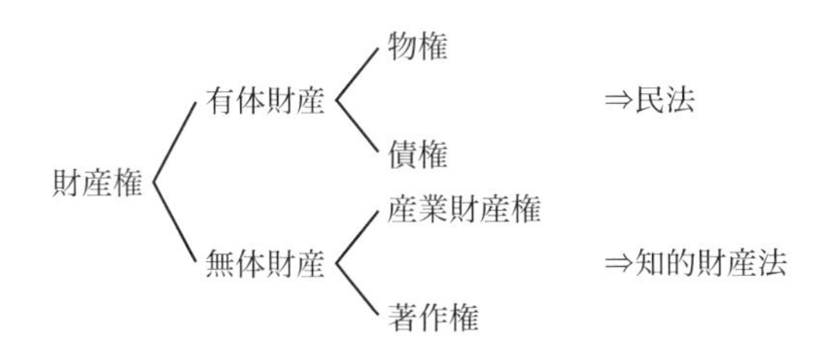

規定が適用される。

## 3．知的財産法の特徴と考え方

・第一に保護の対象が「無体物」（技術思想、表現、信用等）であること、第二に保護を認められる者（創作者や商標使用者等）の許諾を得ないでその無体物を実施、使用した場合に、その行為を差し止めることができると規定されていることがあげられる。

・財産法の基本法は民法であるが、民法不法行為では、侵害に対する救済は原則損害賠償請求のみである。知的財産法は、侵害行為に対して差止めを認めていることに特徴がある。

・対象が無体物とはイメージがわきにくいが、通常、「物」という場合、本、洋服、自動車のように、目に見え、手で触ることができる形のある「有体物」のことである。知的財産法の扱う対象は、目に見えない、手で触れることもできない形のないものであるから、有体物に対して無体物といういい方をしている（知的財産基本法では「情報」という）。民法上、物とは有体物をいうと規定し（民法85条）、無体物は含まれない。

・商標とは自己の扱う商品または役務（サービス）を、他の商品・役務と区別するために使用する標識である（文字、図形、記号、立体形状、音等からなる）。たとえば、化粧品に使用する「資生堂」、電子機器に使用する「SONY」、宅配サービスに使用する「クロネコの図形」など。これらがなぜ無体物なのかといえば、保護の対象が、商標を使用することによって生まれる「信用」、「顧客吸引力」（goodwill）であるからである。

・無体物は物理的に支配・管理することができないので、その保護は有体物に対する法的規制を通してしか実現できないという側面がある。たとえば特許であれば、発明（技術思想）という無体物を具現化した特許製品の製造や販売等を、商標であれば、商標が付されて信用が蓄積した商品の製造や販売等を禁止することによって間接的にその無体物の支配・管理を可能にするのである。

・知的財産法は、民法有体物を対象とする法理論の応用である。商標権を持つといういい方にもあらわれるように、物権法所有権理論を借用している。知的財産権を「知的所有権」とよぶことがあるのはそのためである。ただし、用語の使い方として「所有権」は妥当でないため、最近では「知的財産権」といういい方をしている。

## 4．法律という競技の基本的ルール

・法律は、一定の参加資格をもつものが、一定の参加方法で法律という競技に参加し、「権利」と「義務」を焦点として競い合う点に本質的な特質がある。
・サッカーという競技の場合は、ゴールした得点数の多いチームが勝ちであるから、競技の焦点は「得点」である。これに対し、法律という競技の焦点は「権利」と「義務」である。したがって、誰がどのような権利を持ち、どのような義務を負うのかが競技の核心となる。
・「権利」とは、最終的に裁判所に訴えて国家権力が実力をもってこれを保障するものであり、「義務」とは権利に対応する法的な拘束である。したがって、権利や義務は誰が持つのか、どのような内容であるのか、何によって発生し変動（移転、消滅）するのかが重要な課題となるのである。
・競技の参加資格のことを「権利能力」という。権利能力をもつ者は「人」であり、これを「権利の主体」という。権利の主体となれるのは法律上の人である「自然人」と「法人」である。「物」は権利義務の主体となれない。法律という競技の主体的な参加者は人（自然人と法人）のみということになる。
・次に、権利の対象は何か。これを「権利の客体」という。権利の客体として「物」と「人の行為」の２つがある。物を客体とする権利とは、人の物に対する権利であり、これを「物権」という。典型は「所有権」である。ここでいう「物」とは「有体物」であり、「動産」と「不動産」がある。
・人の行為を客体とする権利とは、人の人に対する権利であり、これを「債権」という。典型は「契約」である。

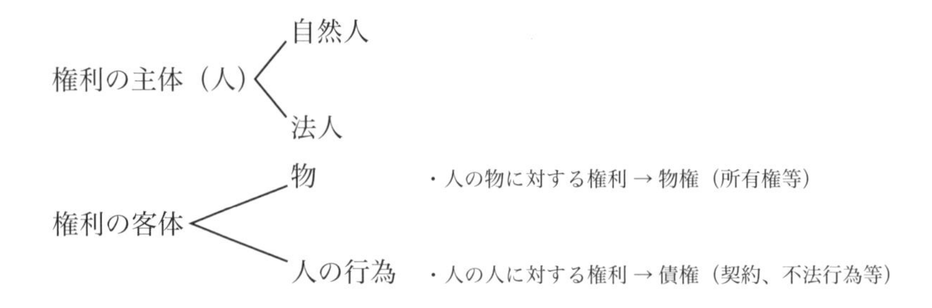


## 5．法律の適用

・法律は、すべての人間関係を権利義務関係ととらえる世界である。これを法的に表現すると、「することができる」と「しなければならない」の２つである。０と１しかないデジタル技術と同じである。「することができる」というのが権利、「しなければならない」というのが義務である。「することができる」のであるから、しなくてもよい。権利は行使しなくてもよいわけである。「しなければならない」は義務だから、必ずしなければ法的効果は発生しない。２つの表現に注意しながら条文を読んでほしい。

・条文は「要件」と「効果」から成り立つ。「○○のときは××となる」という場合の「○○」が要件、「××」が効果。「××」という効果が発生するには、どのような要件を満たす必要があるかにかかっている。たとえば、刑法199条は、

「人を殺した者は、死刑又は無期若しくは五年以上の拘禁刑に処する」

と規定する。「人を殺した」が要件、「死刑又は無期若しくは五年以上の拘禁刑」が効果。したがって、死刑または無期となるのは、人を殺した場合、ということになる。

・裁判は、法律を大前提とし、事実を小前提とし、事実を法律にあてはめて判決という結論を導く三段論法の形をとる。刑法199条に殺人罪の規定がある（大前提）、Aは人を殺した（小前提）、故にAは死刑または拘禁刑という結論が導き出される。

・「○○のときは××となる」と定めた抽象的な判断基準としての条文は、裁判を通して初めてその内容を実現するのである（裁判規範）。
・裁判は三審制をとる。商標権等の侵害訴訟は、通常の民事訴訟と同様である（地裁→高裁→最高裁。訴額〈訴えで主張する利益を金銭に見積もった額〉140万円以下は簡裁→地裁→高裁）。しかし、特許庁の判断に不服であるとして提起する訴訟は、特許庁という行政機関を相手に争う行政訴訟（審決取消訴訟）であり、第一審は地裁ではなく、東京高等裁判所の特別支部である知的財産高等裁判所が専属管轄である（知財高裁→最高裁）。
・具体的な事件についての裁判所の判断は、「判例」として公にされ蓄積されているので、実際の紛争処理に際しては、類似の事件がどのように解決されてきたか、先例を参考にしながら落としどころを探るのである。したがって、条文を読むことと判例を研究することが必須である。

## 6．条文の構造と読み方

・条文は「条」、「項」、「号」からなる。アラビア数字で書いてあるのが項、漢数字が号である。冒頭部分を「柱書」という。

条　柱書　号　項

（商標登録の要件）
第三条　自己の業務に係る商品又は役務について使用をする商標については、次に掲げる商標を除き、商標登録を受けることができる。
一　その商品又は役務の普通名称を普通に用いられる方法で表示する標章のみからなる商標
二　その商品又は役務について慣用されている商標
三　その商品の産地、販売地、品質、原材料、効能、用途、数量、形状（包装の形状を含む。）、価格若しくは生産若しくは使用の方法若しくは時期又はその役務の提供の場所、質、提供の用に供する物、効能、用途、数量、態様、価格若しくは提供の方法若しくは時期を普通に用いられる方法で表示する標章のみからなる商標
四　ありふれた氏又は名称を普通に用いられる方法で表示する標章のみからなる商標
五　極めて簡単で、かつ、ありふれた標章のみからなる商標
六　前各号に掲げるもののほか、需要者が何人かの業務に係る商品又は役務であることを認識することができない商標
②　前項第三号から第五号までに該当する商標であつても、使用をされた結果需要者が何人かの業務に係る商品又は役務であることを認識することができるものについては、同項の規定にかかわらず、商標登録を受けることができる。

## 7. 六法について

・法律の勉強は外国語の勉強に似ている。外国語を勉強するのに辞書を持たぬ者はいないと思うが、法律の勉強の際にも必ず『六法』を携帯し、常に条文に接する学習態度を身につけてほしい。ただし、市販されている『小六法』、『ポケット六法』、『デイリー六法』等の一般的な小型の六法には、知的財産法はほとんど収録されていないので注意のこと。

・知的財産法は毎年どこかが改正されるといって過言ではないから、最新のものを買い求める必要がある。知財関連法をまとめた文庫サイズの知財六法、『知的財産権法文集』が発明推進協会から出ているので、これを勧める。

## 8. 学習の方向性

・知的財産法の対象は無体物なので、その対象を特定することも権利の及ぶ範囲がどこまでなのかを特定することも難しい。したがって、知財がらみの問題を解決しようとするときには、まずどの法律の問題なのかを見定めなければならない。そのためには、どのような保護対象についてどのような法律が整備されているか、という観点から整理し（毎年の試験で、商標と意匠の区別がついていない答案が少なからず存在する）、次に他人の成果にフリーライドする行為を止めさせることができるのはどのような場合かという観点から再整理する（差止めの要件は何か）、というアプローチで考えてみるとよいだろう。

・商学部では商標法と不正競争防止法を中心に講義するので、商標を保護するのになぜこの２つの制度が必要なのか、両者でどう違っているのか、片方しかないとしたらどのような不都合が生じるのか、といった点を意識しながら学んでいただきたい。

・知的財産法も「法」である。基本は条文である。条文が理由付けの根拠となるから、法令集（『知的財産権六法』）を常に携帯し、辞書を引くように、こまめに読む習慣をつけてほしい。試験で不合格になるのは、法文上の基本概念をしっかり身につけていないからである。毎年、試験の際に条文参照を許可しているにもかかわらず持参してこなかったり、商学部で法令集を持参させるのはおかしいなどと時々見当違いのクレームをつける学生がいるので、特に強調しておきたい。

さまざまな知的財産権

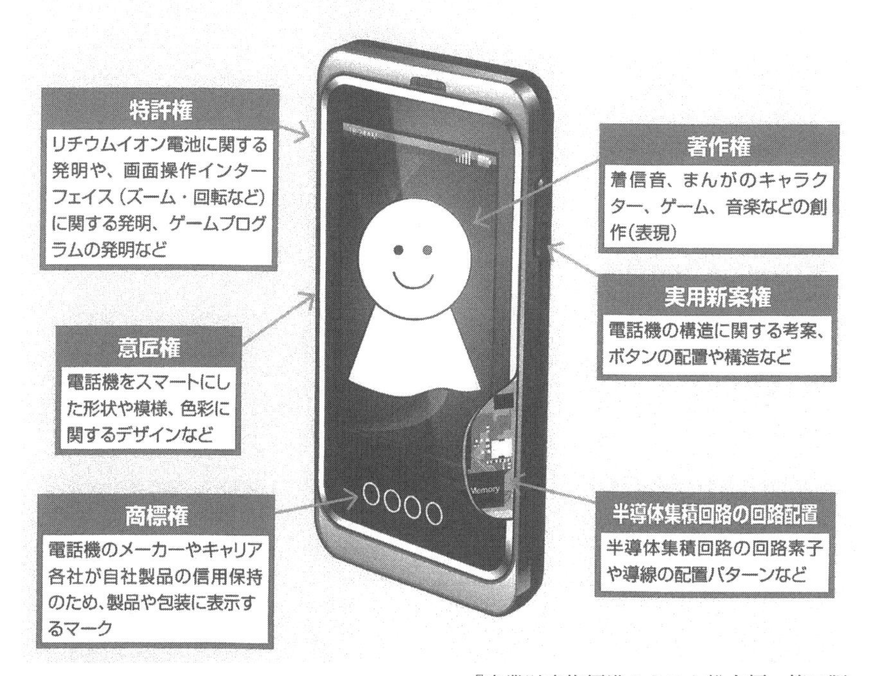


『産業財産権標準テキスト総合編　第５版』

〈設問〉

1．ジュースに「アップル」と名付けた。商標登録できるか。登録できないとすればそれはなぜか。パソコンについて「アップル」はどうか。

2．A社は、日本酒に「吟醸」とネーミングして販売を開始し、商標登録出願をした。ところが、B社は日本酒に「吟醸」をすでに商標登録していた。A社はどうしても「吟醸」を使いたい。問題点を指摘し、A社のとり得る手段について考えよ。

3．聞けば誰でも知っているようなA社の著名ブランド商品の製造・販売が停止され、すでにその商標は使われていない。B社は、その商標が有していた良質なイメージ、人気にあやかろうとして、同じ商標を使い出し、さらに自分のものとするため、商標登録出願をした。問題はないか。

4．清涼飲料に「オールウエイ」の商標を登録している者がいる。コカ・コーラ社は、コーラの缶上に「Always Coca-Cola」、「オールウェイズ」と表示してコーラを販売している。コカ・コーラ社のこのような使用に問題はないか。

5．A社の育毛剤は「大森林」である。B社の石鹸は「木林森」である。名前が紛らわしいので、A社は、B社の「木林森」の使用を止めさせたいと思っている。差止めは可能か。

6．広島県呉市青山町に「呉青山学院中学校」という名の中学校ができた。東京の青山学院大学（青山学院中等部もある）が、「青山学院」の名称の使用を差し止めるため訴訟を提起した。はたして差止めは認められるか。

7．高級婦人服等で世界的に著名な「シャネル」と同じ名前を、千葉県松戸市で営業する自分のスナックの名前に採択した（スナックシャネル）。シャネル社は、飲食業には進出しないことを表明しているし、あのシャネルが松戸でスナックを開くとは誰も考えないだろうから、混同は生じないはずである。そうすると使っても問題はないか。

8. 北海道土産として定番になっている「白い恋人」というA社のクッキーがある。これと無関係のB社が、同じようなクッキーに「面白い恋人」と名付けて大阪周辺のみで販売している。A社のものは、クッキーにホワイトチョコをはさんだもの、B社のものは、焼き菓子にみたらし味クリームをはさんだものである。両者のパッケージデザインから受けるイメージも共通点が多い。B社の使用は、A社の侵害といえるか。

9. 美味しいと評判のトンカツ料理「勝烈庵」という店が横浜にある。しばらくすると、横浜に近い大船にも「かつれつ庵」というトンカツ料理店ができた。さらに静岡県富士市でも「かつれつあん」の名前で営業する者があらわれた。大船、富士市ともに横浜「勝烈庵」とは無関係である。横浜は、大船、富士市の使用を止めさせたいと思っている。はたして可能か。

10. 商標について、不正競争防止法とは別に商標法の保護が必要とされる理由は何か。

# 第２講　法の仕組みと商標法の全体像

■国内法体系と相互関係

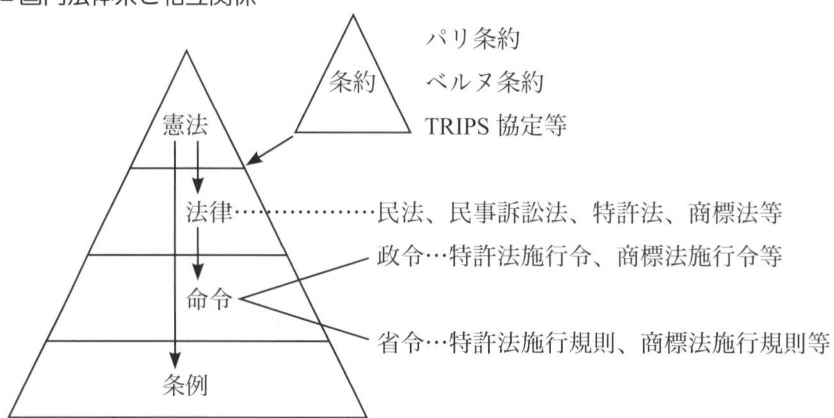


・国内法令は、憲法を頂点とするピラミッド型の段階的構造をなす。下位法は上位法に違反できない。したがって法律は憲法に違反できない（例：憲法14条違反による刑法200条の削除）。

- ・憲法 —— 国の基本法。最高法規
- ・法律 —— 立法機関（国会）により制定される成文法
- ・命令 —— 行政機関（内閣）が制定する法。政令と省令がある
- ・条例 —— 地方公共団体が制定する自主法
- ・条約 —— 国家間の文書による合意
  - パリ条約………工業所有権の国際的保護に関する条約
  - ベルヌ条約……著作権の国際的保護に関する条約
  - TRIPS 協定……知的所有権の貿易関連の側面に関する協定 WTO 協定の一部をなす。パリ条約とベルヌ条約を包摂した知的財産権の国際的枠組みと位置付けられる

・問題は、条約の国内法体系中の位置づけである。条約は憲法に優先するか、法律に優先するか。

・法律同士間の関係はどうか。特別法（特許法、商標法等）は一般法（民法等）に優先する。

**参考**

・憲法98条1項……国の最高法規。その条規に反する法律、命令は効力を有しない。

・憲法41条…………国会は唯一の立法機関である。

・憲法73条6号……内閣は政令を制定する。

※法律を実施するため法律の委任に基づいて内閣が制定する命令を「政令」といい、各省大臣が制定する命令を「省令」という。

・憲法76条2項……行政機関は終審として裁判を行うことができない。

・憲法81条…………最高裁判所は一切の法律、命令、規則が憲法に適合するかしないかを決定する終審裁判所である。

※産業財産権（工業所有権）は国の行政処分によって発生する。権利の有効無効の判断も行政機関（特許庁）が行う。しかし行政機関の判断は最終判断ではない。最終的な判断機関は裁判所である。裁判所で争う道が開かれていれば、その前審として行政機関が審理判断することは許される（特許庁における審判制度）。

## 1．法律と命令（政省令）の関係

・商標法6条2項「……前項の指定は、政令で定める商品及び役務の区分に従ってしなければならない。」

⇓

・商標法施行令2条「商標法6条2項の政令で定める商品及び役務の区分は別表のとおりとし、……各区分に属する商品又は役務は、……経済産業省令で定める。」

⇓

・商標法施行規則6条「商標法施行令2条の規定による商品及び役務の区分に属する商品又は役務は、別表のとおりとする。」

## 2. 条約と法律の関係

・特許法26条「条約に別段の定があるときはその規定による」(実用新案法・意匠法・商標法は特許法26条を準用)

条約が優先

## 3. 特許庁（行政）と裁判所（司法）

・特許庁は、産業財産権（工業所有権）に関する登録事務を行う行政機関である。商標権等の権利付与は、特許庁が行う。登録は審査官や審判官による審理を経てなされるが、その判断に誤りがないとはいえない。誤りを正すのは裁判所の仕事である。

・行政機関は最終的な判断機関ではないから、特許庁の判断に不服であれば裁判所で争うことになる。たとえば、審査で出願が拒絶されたため拒絶査定不服審判を請求したが、その判断（審決）に不服であれば、裁判所に審決の取消を求めて訴えを提起することができる（審決取消訴訟という行政訴訟)。

・裁判所は、特許庁の審決に誤りがあったかどうかを判断するのみで、誤りがあったと認めた場合は審決を取り消す。この時、裁判所が権利を付与することはないことに注意。商標権等の権利付与は、あくまで特許庁の仕事である(三権分立の建前)。

・審決取消訴訟を審理判断するのは、知的財産高等裁判所である。裁判は三審制をとるが、一審を省略していきなり高裁から始まるのは、特許庁における審判が準司法的手続きを経てなされるため、これを第一審とみるからである。

・権利を侵害されたとして、その差止め、損害賠償等を求めて訴えを提起するのは、通常の民事訴訟で、商標の場合の第一審は全国にある各地方裁判所、特許の場合は東京か大阪の地方裁判所である。地裁の判断に不服であれば上級の裁判所である高等裁判所に「控訴」できるが、特許に関する控訴事件は知的財産高等裁判所が取り扱う。さらに最高裁へ「上告」することもできる。

・訴える側を「原告」、訴えられる側を「被告」といい、控訴すると「控訴人」「被控訴人」、上告すると「上告人」「被上告人」という。

## ４．知財事件を扱う裁判所

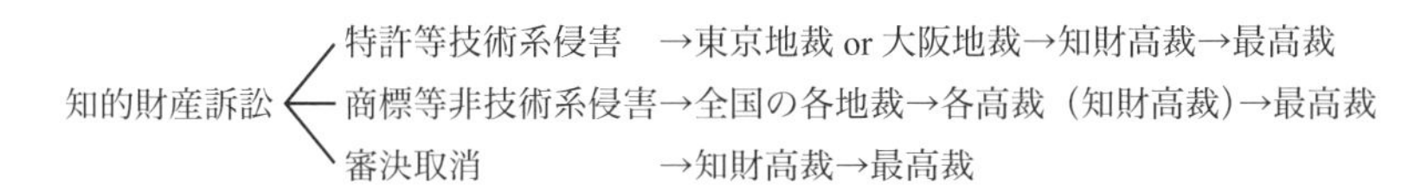


■商標法の全体像（全85条）　※数字は商標法の条数を示す

商標を使用する者の業務上の信用維持 → 産業の発達
↑
1．商標法の目的１ → 商標を登録して保護
↓
需要者の利益保護

2．基本思想

先願主義８・審査主義14・登録主義18

3．商標法の構造

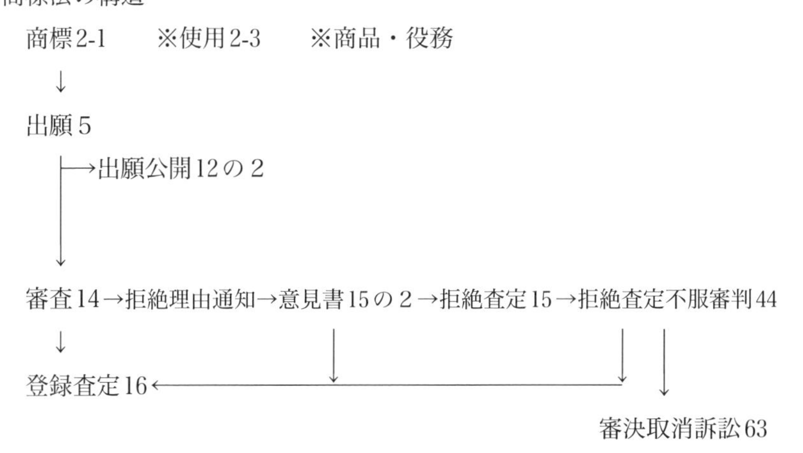

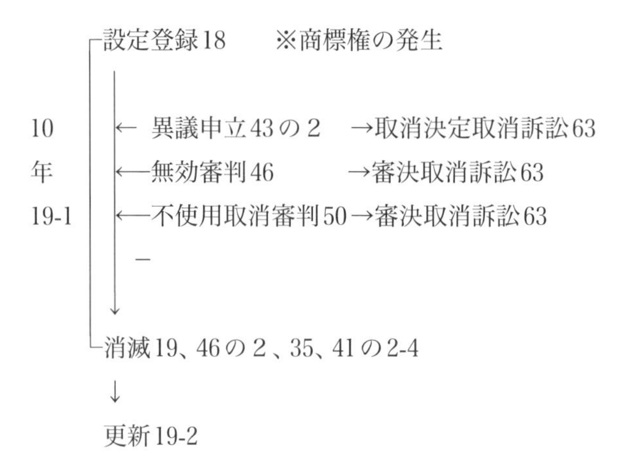


４．商標権の効力25

　　効力が及ばない範囲26

　　使用権→専用使用権30、通常使用権31

５．商標権侵害

　　間接侵害（みなし侵害）37

　　差止請求36

　　損害賠償請求（民法709）

　　信用回復措置請求39

　　侵害罪78

■商標登録制度概要

・法律学を学ぶにあたっては断片的なつまみ食いは禁物である。その法律がどうなっているかを理解するには、まずその法律の全体像を把握しておく必要がある。商標法とはどのような法律か、最初に商標法の概略を頭に入れておくとよいだろう。

・商標が知的財産に属するのは、保護の対象、商標権の客体が「信用」、「顧客吸引力」（goodwill）という無体物であり、それが財産的価値を有するからである。その財産的価値は、商標を使用することにより商標の出所表示機能を通じて獲得される。

- 商標法は、誰のどのような内容の権利が存在するのかをあらかじめ登録しておく仕組みについて定めた法律である。全85条ある。登録されるための手続的な部分（権利発生面）と、商標権の実体的な部分（権利行使面）からなる。
- 商標法の究極の目的は、商標を保護することにより、商品およびサービスの取引秩序の維持を図り、産業の発達に寄与することにある（１条）。商標を使用する者（商標権者）の保護を中心に組み立てられているが、あわせて需要者の利益を保護することも目的としている。しかし、消費者訴訟を認めていないから、消費者の保護は権利者の保護を通じて反射的に図られているにすぎない。消費者保護の観点からの見直しも必要だろう。
- 商標法は、商標を登録し、商標権という権利を発生させるという法的手段を用いて商標権者を保護している。登録は無関係で、周知となった他人の商標と類似の商標を使用して混同を生じさせる行為を規制するという方法で商標を保護する制度に、不正競争防止法がある。商標法と不正競争防止法は車の両輪である。
- 商標とは、自他商品・役務（サービス）を識別するために、自己の営業に係る商品または役務に使用する標識である。
- 登録されるためには、商標自体に識別力が備わっていること（３条）、すでに登録されている商標と類似しないことなどがあげられる（４条）。
- 商標法は登録型の権利付与法であり、審査主義を採用する。使用の事実で登録されるわけではない。審査の結果、登録要件を満たしていれば設定の登録が行われ、商標権が発生する（18条１項）。登録要件を満たしていないと拒絶査定が行われ、これに対しては審判を請求することができる。拒絶審決に対してはその取消しを求めて知財高裁に出訴することができる。
- 商標権の存続期間は登録から10年である（19条１項）。更新することができる。したがって、更新し続ければ半永久的に権利は存続することになる（19条２項）。
- 商標権者は登録商標の使用をする権利を専有する（絶対的独占権；25条）から、他人が無断で登録商標を使用すると商標権の侵害となる。他人の使用を排除できる範囲として登録商標と同一の範囲のみでは狭すぎるので、侵害の範囲を類似商標にまで広げ、侵害を誘発するような予備的行為まで侵害とみなして商標権者を保護している（間接侵害；37条）。

・商標権の侵害に対しては、その侵害行為の停止（36条）、被った損害の賠償（民法709条）、業務上の信用回復措置（39条）をそれぞれ請求することができる。刑事罰も科される（78条）。侵害訴訟は裁判所で争われるが、特許庁に無効審判（46条）を請求し、登録を無効にすることで対抗できる。ただし理由によっては5年の除斥期間（商標権の設定登録日から5年を経過した後は請求できなくなる）があるので注意。

・商標法の実質的な保護対象は、商標を使用することによって生まれる信用である。しかし、使わなければ信用は生まれない。そのような登録商標であっても排他的独占権は発生しているから、不使用登録商標に排他的独占権を与えておくのは国民一般の利益を不当に侵害し、商標使用希望者の商標の選択の余地を狭めることになる。そこで登録後継続して3年以上一度も使用していない商標は、不使用取消審判によって登録を取り消す制度を設けている（50条）。

・商標権は財産権であるから、商標権者（ライセンサー）は契約によって他人（ライセンシー）に使用権を許諾し、ロイヤリティを得ることができる。商標権を譲渡して対価を得ることもできる。質権を設定して資金を調達することもできる。

# 第３講　商標とは何か

## ■商標とは何か

### 1．ブランドと商標

・われわれの周りには、さまざまな商品、サービスがあふれている。われわれはそれらの商品を使用し、サービスの提供を受けながら日々生活している。それら商品やサービスには、なんらかの名前（商標、マーク）がつけられており、消費者の商品選択の目印となっている。数多くの同種商品のなかから気に入った商品を間違いなく入手できるのは、商標があればこそである。商品の提供者にとっても、自社商品のよさをわかってもらい、消費者に購買欲を起こさせるには、商標を媒体とせざるをえない。このように、商標は、消費者と商品を結ぶ「かけ橋」の役目をはたしている。商標は、商品のパッケージ等に付されて使用されるが、使用されるにつれ、商標に信用、名声が蓄積し、単なるマークからブランドへと昇華し、財産的価値を高めていく。

・ブランド（brand）とは、「焼き印を押す」という意味の「burned」から派生したといわれる。家畜である牛の所有者が、自分の牛に焼き印を押して自分の牛と他人の牛を区別した。それは所有標ともいうべきもので、今日の商標とは同じではないが、自分のものと他人のものを区別するという発想において商標と変わりはない。このように自分と他人を区別するマークがブランドといえるが、現代の経済社会ではより広く、企業そのもののイメージの総体としてとらえられている。

・商標とは、自分と他人を区別するために自己の商品やサービスに使用する目印である。したがって、商標は常に、使用される商品ないしサービスとの関係において把握されなければならない。

・生産と消費が直結する社会、物々交換の社会では、商標の必要性は低い。商標は、大量生産、大量消費、流通の発達した社会において必要となる。

## 2. 商標の機能

・商標とはそもそもなんのために必要か、どのような働きをするのかを考えると、商標の本質が見えてくる。商標は、同種商品が複数ある場合に、商品選別を可能とし、出所を明らかにするために必要となる。具体的な製造元や販売先の名前である必要はない。同じマークが付いていればその商品は同じところから出ているものであると認識されればよい。ここでの商標の機能は、自分と他人を識別（区別）できることであり、この働きを「自他商品役務識別機能」という。

・商標が使用され、市場における需要者の浸透度によって、商品に同じマークが付いていればその商品は同じところから出ている商品だと認識されるだろう。これを「出所表示機能」という。同時に、同じマークが付いている商品は品質が一定だろうと期待される。これを「品質保証機能」という。さらに、人々に記憶され、商品のイメージを思い浮かべさせる「広告宣伝機能」をはたす。このように、商標は「自他商品役務識別機能」を本質的機能とし、使用されることによって「出所表示機能」、「品質保証機能」、「広告宣伝機能」の３つの経済的機能が派生する。

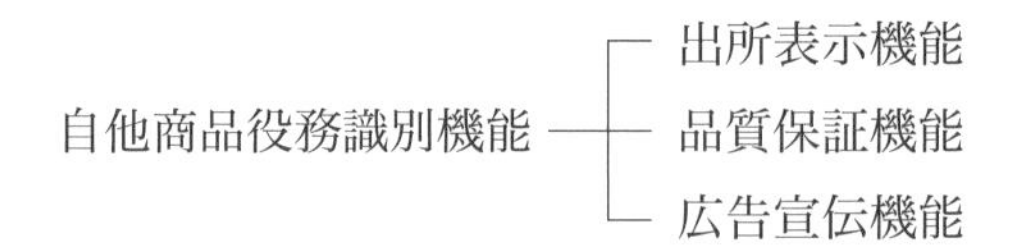


## 3. 商標法による商標保護の思想

・商標法は、商標の保護について、他人の商標の使用を行政的に禁止するという構造をとるのではなく、一定の者に一定の商標の独占的使用を認め、この状態を権利として保護するという構造をとる。すなわち、「登録」という法技術を用い、「商標権」という権利を発生させて保護するのである（登録主義）。こうした法制をとることにより、商標を媒介とする特定の競争者が築き上げた市場地位が保護され、そこから得ることのできる利益が保障されることになる。

・一定の市場地位を獲得した者に対して、新たに市場地位を獲得しようとする者は多くの困難を伴う。需要者は商標の記憶（商標の広告宣伝機能）を通じて商品の選択をするわけであるから、新たに需要者を獲得しようとする者は不利とならざるを得ない。そこで模倣が生まれる。模倣者は、すでに一定の市場地位を獲得した競争者の商標を利用することで容易に需要者を奪い取り、利益を得ることができる。したがって、法的に禁止しない限り、自己の市場地位を形成するために行ってきた競争者の努力は無駄になるし、需要者も不測の損害を被ることになる。商標保護制度は、このような論理的前提の上に成り立っている。

## 4．商標法上の商標

・商標は、人の知覚によって認識することができるもののうち、文字、図形、記号、立体形状、色彩またはこれらの結合、音、その他政令で定めるものからなる（2条1項）。

・平成26年の改正で新しいタイプの商標が導入された。音の商標、色彩のみからなる商標のほか、動きの商標、ホログラム商標、位置商標がある。現在のところ香り（匂い）や味などは含まれない。これらを商標として認める国もある。

・文字からなる商標を文字商標、図形からなる商標を図形商標、文字や図形、記号等の組み合わせからなる商標を結合商標といい、役務（サービス）に使用される商標を、特に「サービスマーク」ということがある（平成3年導入、平成4年4月1日施行）。

・立体的な形状も商標として認められる。平成8年改正で導入された。早稲田大学の大隈重信の胸像や、ケンタッキーフライドチキンのカーネルサンダースの人形、不二家のペコちゃん人形などが立体商標として登録されている。

・商号と商標は異なるので注意。商号とは、商人が営業上自己を表すために使用する名称である。ただし、商号を商標として採択、登録することは可能である。「ソニー株式会社」、「株式会社ヤクルト本社」、「サントリー株式会社」

などが商標登録されている。

- 地域産業の活性化や地域おこしの観点から、その地域の地名とその地域の特産品の普通名称を組み合わせた商標を登録する制度として「地域団体商標」がある。平成17年改正で導入された（7条の2）。本来、地理的名称や普通名称は、登録要件を具備しないので登録されないのであるが、地域団体商標として出願すれば登録可能である。登録を受けることができる者は、農協等、事業協同組合等に限られていたが、平成26年の改正で、地域ブランド普及の担い手である商工会議所やNPO法人が追加された。
- 現在、「稲城の梨」、「由比桜えび」、「湯河原温泉」、「今治タオル」、「益子焼」などが登録されている。

## 5．商品および役務

- 商標法上、商品および役務（サービス）についての定義規定はない。
- 商品とは、一般に流通性のある有体動産であって、商取引の目的となるものと解されている。役務とは、それ自体商取引の目的となる労務、便益と解されている。したがって、付随的に行われるサービスは対象とならない。ホテル等宿泊施設の提供における荷物の宅配サービスや、注文料理における出前サービスなどは、それ自体独立した役務ではない（商取引の対象ではない）ので商標法上の役務とはいえない。
- 平成18年改正で、小売および卸売が独立した役務として認められた（2条2項）。小売業者等は商品の販売を促進するため需要者の商品選択が容易となるサービスを行っているが、このようなサービスは、商品を販売するための付随的な役務であり、対価は商品価格に転嫁され、間接的に支払われて独立して取引の対象となっているわけではない。しかしそうすると、スーパーや百貨店等は、扱う商品すべてに商標登録する必要が出てくる。小売が独立した役務と認められれば、1つの商標で保護が可能となる。

## 6．商標の使用

・文字、図形、記号等は商標の構成要素であるが、文字、図形、記号等そのものは「標章」であって商標とはいわない。標章を商品、役務に使用するものが商標である（２条１項）。したがって、どのような使い方をすると商標の使用なのか、特に侵害を論ずる際には、使用が問題となる。侵害に対しては被った損害賠償を請求できるといっても、商標を使用していなければ損害は発生しないし、サービスは商品のように目に見える実体のあるものではないので、無形のものに商標を使用するとはどのようなことなのか分かりづらい。そこで商標法は使用について詳しい規定をおいている（２条３項）。

・２条３項１号、２号が商品に関する使用、同３号～７号が役務に関する使用、同８号、９号が両者共通である。

・平成26年の改正で、音の商標が導入されたことに伴い、音を発する行為を使用の定義に追加した（同９号）。今後さらに保護対象が拡大した場合に備え、「政令で定める行為」を同10号に追加している。また、音を記録媒体に記録することが商品に標章を付すことになる旨が規定された（２条４項２号）。たとえば、商品「映画を記録したDVD」について、DVDの再生時にサウンドロゴ（音の標章）が鳴るように記録する行為である。

**商標の使用とその態様**

| ２条３項 | 商標の使用態様 | 使用の具体例 |
|---|---|---|
| １号 | 商品自体または商品のパッケージに標章を付す行為 | 鉛筆に直接付す行為<br>シャンプーの容器に付す行為 |
| ２号 | 標章を付した商品を譲渡、引渡し、展示、輸出、輸入、インターネットを通じて提供する行為 | 付した鉛筆やシャンプーを販売等する行為<br>ダウンロード可能であれば商品 |
| ３号 | サービスの提供を受ける者の利用に供する物に標章を付す行為 | レストランで出される料理の皿や割り箸の袋などに付す行為<br>タクシーの車体に付す行為 |

| 4号 | 標章を付したものを用いて役務を提供する行為 | レストランで出される料理の皿や割り箸の袋などに付して料理を提供する行為<br>タクシーでの輸送で使う車体に付して客を輸送する行為 |
|---|---|---|
| 5号 | 標章を付したものを役務の提供のために展示する行為 | レストランで出される料理の皿や割り箸の袋などに付した状態でテーブルに配置し、客待ちの状態。タクシーでの輸送で、車体に付して営業所に待機している状態 |
| 6号 | 役務の提供を受ける者の役務の提供を受ける物に付す行為 | 自動車の修理において、修理した客の自動車に付す行為。クリーニングにおいて、クリーニングされた客の洋服に付す行為 |
| 7号 | インターネットを通じた役務の提供において、映像面に表示して役務を提供する行為 | インターネットオークションで、付した商品を映像面を介して販売する行為 |
| 8号 | 商品や役務に関する広告、価格表、取引書類に付して展示、これらのインターネットによる提供行為 | 電車の吊り広告に付す行為<br>テレビ広告 |
| 9号 | 商品の譲渡等もしくは役務の提供のために音を発する行為 | 商品の販売や役務の提供に関するテレビ広告において、サウンドロゴ（音の標章）を放送する行為 |

## 7．問題点

### 〈商標の使用と商標としての使用〉

・商標の定義中に、商標の本質である自他商品役務の識別力について規定するところがないため、商品、サービスに使用する文字等はすべて商標ということになってしまい、社会一般の商標とは異なるのではないかとの批判がある。しかし、これは条文を形式的に解釈しており、1条の目的規定、3条の登録要件とを併せ考えれば、2条の商標には、自他商品役務識別のために使用するものであることが前提として含まれている、と解すべきだろう。

・商標を商品のパッケージに付して使用しているとしても、商品の内容表示であったり、デザインとしての使用や書籍等の題号、キャッチフレーズ等としての使用であると、形式的には使用に該当しても、商標としての使用にはあたらない。

・商標権侵害において、商標を自他商品役務識別のために使用していなければ、侵害にはあたらないとの考え方が裁判所によって明らかにされている(「商標としての使用」、「商標的使用」の法理)。平成26年の改正で、商標権の効力が及ばない範囲に、「需要者が何人かの業務に係る商品又は役務であることを認識することができる態様により使用されていない商標」が新設された（26条1項6号)。これは、商標としての使用、商標的使用でない使用に該当しよう。

**〈販促品〉**

・販促品（ノベルティグッズ）は商品といえるか。

・たとえば、電子楽器「BOSS」の販売促進のために「BOSS」マークの入ったTシャツを無償配布したとしよう。ところが、他人が被服に「BOSS」を商標登録していたとしたらどうなるか。被服「BOSS」の商標権の侵害にあたるか。

・登録商標と同一または類似の商品役務に、同一または類似の商標を商標権者に無断で使用すると商標権の侵害とみなされるから、Tシャツに「BOSS」の使用は一見、侵害を構成するようにみえる。しかしこの場合、使用している「BOSS」の商品は電子楽器である。「BOSS」マーク入りのTシャツは無償配布しているのだから、商取引の目的物である商品とはいえないのではないか。登録商標「BOSS」を商品に使用しているかが問題となる。

・商標とは、商品または役務に使用する標章である。したがって、商標を商品に使用していなければ商標の使用ではない。商品であるか否かは、それ自体交換価値を有し、独立の商取引の目的物であるか否かである。この場合、商品は電子楽器である。Tシャツはそれ自体交換価値を有しない独立の商品ではなく、電子楽器の単なる広告媒体にすぎない。電子楽器と被服は類似する商品ではないのは明らかであるから侵害ではない、と裁判で判断されている（「BOSS」事件 S62.8.26大阪地判 S61（ワ）7518）。
・無償だから商品ではないとして侵害を否定するロジックに問題はないか？

さまざまな商標

文字商標

中央大学

図形商標

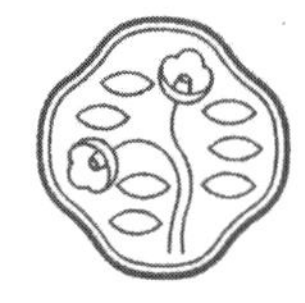

記号商標

結合商標

立体商標

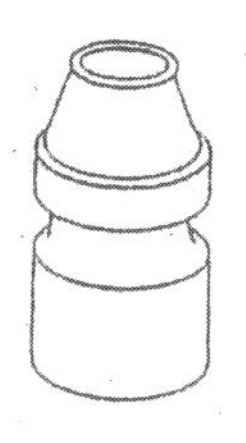

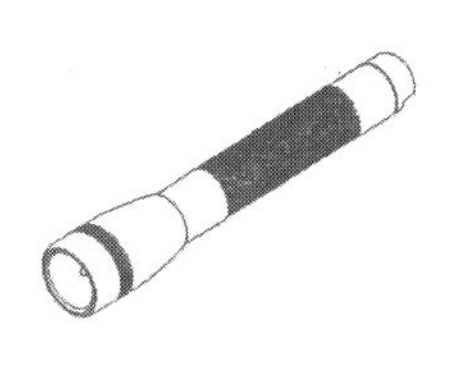

地域団体商標

**稲城の梨**

動き商標

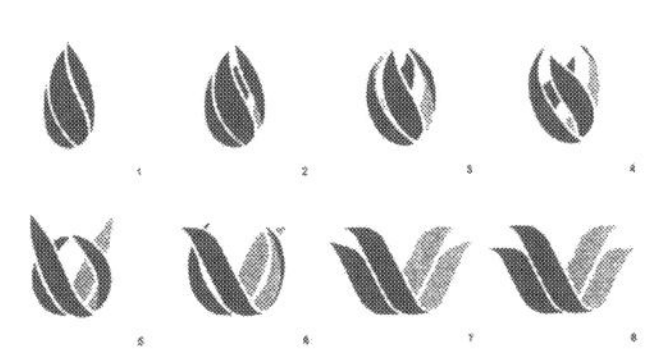

色彩の商標

位置商標

音の商標

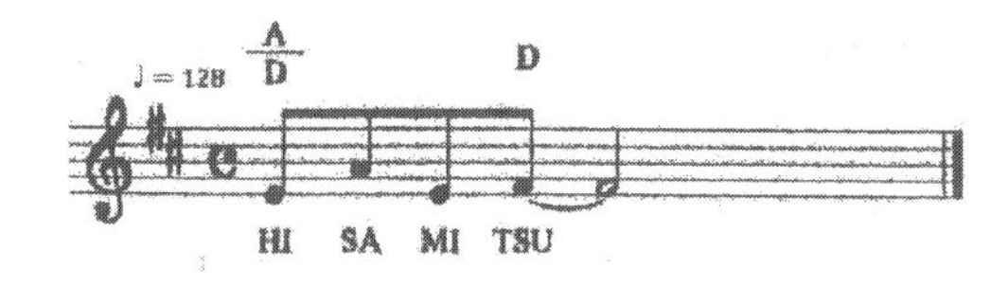

# 第４講　商標登録の要件

■誰が商標登録を受けることができるか

・商標登録を受けることができる者は、まず権利能力者であって、自己の業務に係る商品または役務について商標を使用する者である。他人に使わせるための使用は認められない。３条１項柱書の「自己の」とは、商標ブローカーを閉め出すための規定である。「使用をする商標」は、現在使用していなくても、使用の意思があればよいとされる。そして最も早く商標登録出願した者である（先願主義；８条１項）。

・権利能力を有する者は、自然人と法人である。日本国籍を有する自然人は、出生により権利能力を取得する。わが国の法律により法人格を認められた法人は権利能力を有する。

・外国人の権利能力については、日本国内に住所または居所を有する者、法人にあっては営業所を有する者に認められる。

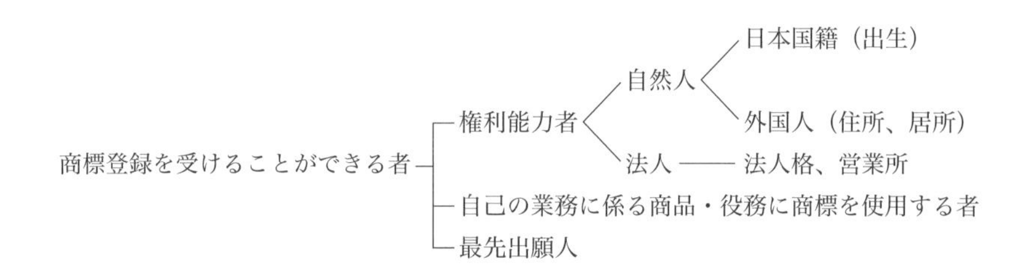


■どのような商標が登録できるか

## １．識別力（一般的登録要件　商標法３条１項１号～６号）

・商標は自分と他人を区別するために必要とされるから、まず商標自体に「識別力」が備わっていることが必要である。自己の使用する商品・役務との関係で、他商品・役務と区別がつかないような商標には識別力がないとして、出願しても拒絶される。

①１号……商品または役務の普通名称

⇒　取引界においてその商品役務の一般的な名称であると認識されているもの

※「サニーレタス」はレタスの普通名称、「ういろう」は菓子の普通名称、「巨峰」はぶどうの一品種の普通名称

「ワープロ」、「損保」、「一六銀行」等の略称、俗称を含む

②２号……慣用商標

⇒　もともと識別力があったものが同業者間で普通に使用されるようになったため識別力を失ったもの

※清酒に「正宗」、カステラに「オランダ船の図形」、宿泊施設の提供に「観光ホテル」

③３号……記述的商標

⇒　商品の産地、販売地、品質、原材料、効能、用途、形状、数量、価格、生産方法、使用方法、生産時期、使用時期、その他の特徴

⇒　役務の提供場所、質、提供の用に供する物、効能、用途、態様、数量、価格、提供方法、提供時期、その他の特徴

※ワインに「フランス」（産地）、清酒に「吟醸」（品質）、洋服に「WOOL」（原材料）、入浴剤に「疲労回復」（効能）

※現に生産、販売していなくても OK

④４号……ありふれた氏・名称

※「佐藤」、「田中」、「ヤマダ」等

⑤５号……極めて簡単かつありふれた標章

※ローマ字１字または２字、数字のみ。「A」、「AB」、「55」等

モノグラムの場合はローマ字２文字であっても本号に該当しない

⑥６号……①～⑤のほか、需要者が何人かの業務に係る商品または役務であることを認識することができない商標（３条１項の総括規定）

※地模様、キャッチフレーズ等

## 2．使用による識別力の獲得（商標法３条２項）

・上記③④⑤（３、４、５号）に該当する商標であっても、使用された結果、需要者が何人かの業務に係る商品または役務であることを認識することができるに至ったものについては登録を認める。ただし、全国周知を要する。

⇒　使用期間、使用地域、営業の規模、広告の回数等周知性を立証する必要あり

※オートバイに「ホンダ」、自動車に「TOYOTA」、コーヒーに「GEORGIA」、コカコーラの瓶の形状（立体商標）

## 3．商標法３条１項の趣旨　――識別力と独占適応性

・３条１項１～５号は自他商品役務識別機能を有さない商標を例示したもので、同６号はその総括規定である。「需要者が何人かの業務に係る商品又は役務であることを認識すること」とは、識別力のことであると理解できる。ところが、これを識別力ではなく、取引上何人も使用を欲して、特定人の独占には馴染まないという「独占適応性」で説明する見解がある。「ワイキキ」最高裁判決（S54.4.10最判S53（行ツ）129）は、識別力とともに、独占適応性の２つをあげる。わが国では知られていない外国産の原材料名や、地名等の登録を阻止するには有効な見解であろう。しかし、独占適応性では３条２項の説明に窮する。使用による識別力の獲得はあり得ないからである。

実務上の視点

1．「のみ」の要件１、３、４、５号→識別力のある他の文字や図形等との結合商標であれば登録可能。

2．「普通に用いられる方法」１、３、４号→普通でなければ登録可能（文字のデザイン化、あて字等）。

3．①②③が登録されてしまった場合→無効審判を請求し無効にできるが審判を請求するまでもなく26条で手当て。５年の除斥期間があるので実益あり。

※商標は登録しないと使えないのではないことに注意。３条該当商標は出願しても登録されないだけ。したがって拒絶されたからといって、使えなくなるわけではない。商標法は登録できない商標を規定するが、使ってはいけない商標は規定していない。

## ４．登録できない商標（具体的登録要件　商標法４条１項各号）

・登録されるためには３条のほか、さらに４条１項各号に該当しないことが必要である。公益上の理由や私益との調整のために設けられている。
・公益的（絶対的）不登録事由……１、２、３、４、５、６、７、９、16、18、19号
・私益的（相対的）不登録事由……８、10、11、12、14、15、17号
※公益的不登録事由については、無効審判の除斥期間なし
※８、10、15、17、19号商標については、出願時に該当しなければ適用なし

〈公益的（絶対的）不登録事由〉

①１～５号……国旗、菊花紋章、国の紋章、国際連合、赤十字等と同一類似の商標
⇒　国の威信、国際機関の権威の保持など公益的な観点から
※３号に該当しても、需要者の間に広く認識されている場合と、略称が国際機関と誤認を生ずるおそれのないものは登録可能
②６号……国、地方公共団体、公益団体等の著名な標章と同一類似の商標
⇒　YMCA、NHK、オリンピック、市営地下鉄、市立大学等
※本人出願は適用なし（４条２項）
③７号……公序良俗、国際信義、社会の一般的道徳観念等に反する商標
⇒　※「征露丸」
④16号……商品の品質、役務の質の誤認を生ずるおそれがある商標。品質の良し悪しは無関係
⇒　例；指定商品「食肉」、商標「ハーブポーク」
↓

ハーブ入り豚肉については3条1項3号該当、ハーブ入り鶏肉や牛肉等であると本号該当

※指定商品を「ハーブ入り豚肉」に補正し、使用による識別力（3条2項）を獲得すれば登録可能。

⑤19号……他人の周知・著名商標と同一類似であって、不正の目的をもって使用するもの

⇒ 15号は「混同のおそれ」が限界であって、出所の混同のおそれのないフリーライドやダイリューションについては適用外。そこで19号は、「不正の目的」の存在を条件に、出所の混同のおそれがなくても他人の周知・著名商標と同一類似の商標を拒絶する

**〈私益的（相対的）不登録事由〉**

①8号……他人の肖像、氏名（需要者の間に広く認識されている氏名に限る）、名称、他人の著名な雅号、芸名、筆名、これらの著名な略称等

⇒ 人格権保護。「他人」は現存する者。外国人を含む。承諾を得た場合はOK。知名度のない他人は承諾不要

※「大谷翔平」……同姓同名でも承諾必要

「イチロー」……「野球用具」に使用するときは著名な略称

②10号……他人の周知商標と同一類似の商標

⇒ 未登録周知商標に限られる。登録商標と同一類似の場合は11号、商品（役務）非類似の場合は15号（出所の混同）に該当

③11号……先願他人の登録商標と同一類似の商標

⇒ 拒絶理由として最も多い

※当該登録商標権者の同意があれば拒絶されず、登録可能（コンセント制度；4条4項）

④15号……他人の商品または役務と混同を生ずるおそれがある商標

⇒ 同一類似の著名商標に非類似商品役務の使用……商標が著名であると出所の混同のおそれあり。一部に著名商標を含む場合を含む

※経済的、組織的に何らかの関係があるのではないかと誤認混同する場合を含む（広義の混同）。

**４条１項10、11、15、19号の比較**

| ４条１項 | 10号 | 11号 | 15号 | 19号 |
|---|---|---|---|---|
| 商標の同一類似 | ○ | ○ | (○) | ○ |
| 商品・役務の同一類似 | ○ | ○ | − | − |
| 登録の有無 | − | ○ | − | − |
| 周知・著名性 | ○ | − | (○) | ○ |
| 混同のおそれ | − | − | ○ | − |
| 不正の目的 | − | − | − | ○ |

※○は必要な要件である。15号の商標の同一類似性と周知著名性は条文上要求されていないが、混同のおそれを引き起こすといえるためには、少なくとも商標が同一または類似し、相当程度知られていることが必要だろう。

## 実務上の視点

- 登録要件としての「同一又は類似」の文言は、４条１項１～６号、９～11号、14、19号に出てくる。「類似」とは何か。どのような場合に類似といえるのか。商標の類似の判断は、実務上最重要課題である。
- 類似とは何かについての法文上の手がかりはないから、審決、判決を研究する必要がある。
- 令和５年の改正で、４条１項11号に該当する商標であっても、当該登録商標権者の同意があり、混同のおそれがない場合には拒絶されないこととなった（コンセント制度の導入）。類似商標が併存する場合は、コンセントによって登録された商標であるかどうかについて確認する必要がある。

## 登録できない商標（不登録事由）一覧

| 登録できない商標（不登録事由） |
| --- |
| 1．普通名称 |
| 2．慣用商標 |
| 3．産地、販売地、品質、原材料、効能等記述的商標 |
| 4．ありふれた氏、名称 |
| 5．極めて簡単かつありふれた標章 |
| 6．上記1～5以外に需要者が認識できない商標 |
| 7．国旗、菊花紋章、勲章、褒章、外国国旗と同一・類似 |
| 8．条約同盟国、加盟国、締約国の紋章、記章と同一・類似 |
| 9．国連、国際機関の標章と同一・類似 |
| 10．赤十字の標章と同一・類似 |
| 11．条約同盟国、加盟国、締約国の監督用、証明用の印章、記号と同一・類似 |
| 12．国、地方公共団体、公益団体、公益事業の標章で著名なものと同一・類似 |
| 13．公序良俗を害するおそれ |
| 14．他人の肖像、知名度のある氏名、名称、著名な雅号、芸名、筆名 |
| 15．博覧会の賞と同一・類似 |
| 16．他人の未登録周知商標と同一・類似 |
| 17．他人の登録商標と同一・類似 |
| 18．他人の登録防護標章と同一 |
| 19．品種登録を受けた品種名と同一・類似 |
| 20．混同を生ずるおそれ |
| 21．品質誤認を生ずるおそれ |
| 22．使用を禁止されているぶどう酒、蒸留酒の産地表示 |
| 23．商品が当然に備える特徴からなる商標 |
| 24．周知商標と同一・類似で不正の目的使用 |

・1．2．3．は指定商品または指定役務との関係で該当するか
・3．4．5．に該当しても使用によって識別力を獲得すれば登録可
・12．は本人使用であれば可
・14．はその他人の承諾があれば可
・判断時は査定時。14．16．20．22．24．については出願時にも該当することが必要

# 第５講　商標権取得手続

## ■どうすれば商標を登録することができるか

**基本思想**

・先願主義８・審査主義14・登録主義18　　※数字は商標法の条数を示す

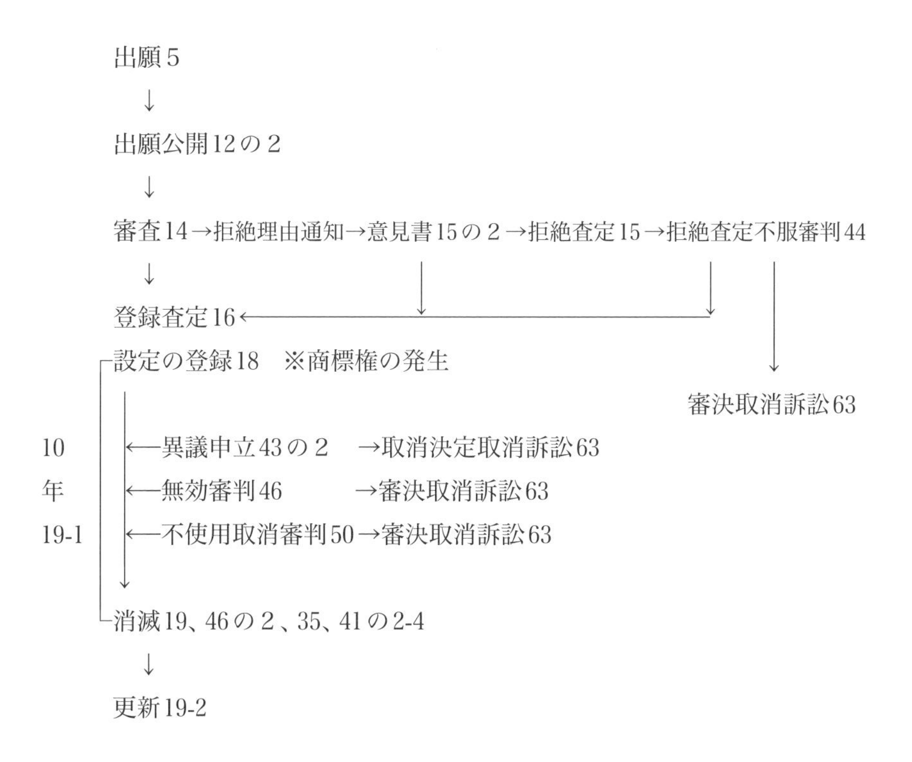


## １．商標登録出願

・商標法は、商標を登録して商標権を発生させ、この権利に基づいて商標を使用する者の業務上の信用を保護する制度である。未使用の商標であっても登録を許容する登録主義を採用する（「使用」は登録要件ではないことに注意）。商標は使用されなければ価値は生まれないのであるが、使用してから登録したのでは十分な保護が受けられないおそれがある。そこで、使用する意思があればよいこととし（３条１項柱書）、登録後、一定期間使用されなかった場合には、不使用取消審判によって登録を取り消すという制度を設けている（50条）。

・商標権を得るにはどうするか。特許庁に「出願」する必要がある（５条、６条）。「申請」とはいわない（10年後の更新のときは、実体審査をしないので「申請」という。用語の使い方に注意）。出願料は2024年現在１件（１区分）12,000円である（特許法等関係手数料令４条２項）。
・どのような商標をどのような商品または役務に使用するのか。願書に、商標登録を受けようとする商標と、商品または役務（指定商品、指定役務）を記載する。色彩のみ、音など明確に認識できない商標の場合はその旨を記載するとともに、詳細な説明を記載し、所定の物件（音の場合、その音を記録したCD等）を提出する（５条）。
・出願は商標ごとに行う。したがって、１出願で複数の商標を出願することはできない（一商標一出願の原則；６条１項）。１出願で複数の区分に属する商品役務を指定することはできる（一出願多区分制；商標法条約３条(5)）。商品役務の指定は、商品および役務の区分にしたがって行う（６条２項）。45区分あり、１～34類が商品、35～45類が役務である（ニース協定、国際分類；商標法施行令２条）。

## ２．先願主義

・類似の商品・役務に類似の商標が異なった日に複数出願された場合は、最先の出願人のみが商標登録を受けることができる（先願主義；８条１項）。ただし、後出願人が先出願人の承諾を得ており、混同のおそれがない場合には後出願人も商標登録をうけることができる（コンセント制度；同ただし書）。
・願書に記載された「商標登録を受けようとする商標」によって登録商標の範囲が定められる（27条１項）。その際、詳細な説明や所定の物件が考慮される（27条３項）。

・願書に記載された「指定商品又は指定役務」によって商品または役務の範囲が定められる（27条２項）。

## ３．出願公開

・商標登録出願があったときは、商標公報に掲載され、内容が公開される（12条の２）。この情報を入手することにより、同業他社の動向を探ることができる。

## ４．審査

・出願された商標は、登録するにふさわしいかどうか、特許庁の審査官によって審査される（審査主義；14条。無審査国もある）。何が審査されるか。実体的登録要件、３条と４条に該当するか否かである。

## ５．出願の補正と分割

・先願主義を採用するから、いち早く出願したものの、不備があったことが判明した場合には、その内容を補充訂正する必要が生じる。また、審査において拒絶理由を解消するために、出願内容を修正する必要が生じることもある。このような場合に補正が認められる（68条の40）。たとえば商標Aの指定商品がxyzと複数あるときに、xyのみに訂正したい場合、zを削除する補正をする。この場合、元の出願を分割（10条）して新出願とする必要がある。また、zのみが先願他人の登録商標の指定商品と類似するとして拒絶された場合にも、zを削除する補正をすれば拒絶は解消される。なお商標の補

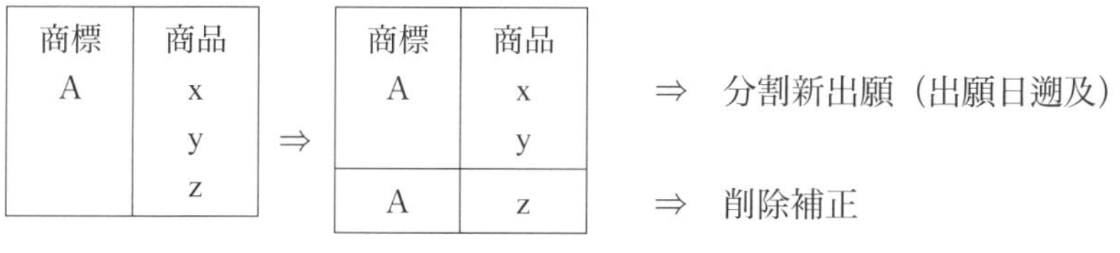

| 商標 | 商品 |
|---|---|
| A | x<br>y<br>z |

⇒

| 商標 | 商品 | |
|---|---|---|
| A | x<br>y | ⇒ 分割新出願（出願日遡及） |
| A | z | ⇒ 削除補正 |

正は認められないので注意。

## 6．拒絶査定と登録査定

・審査の結果、拒絶理由がなければ登録査定である（16条）。拒絶理由があると拒絶査定であるが（15条）、いきなり拒絶査定はせずに、出願人に拒絶の理由を通知し、相当の期間を指定して「意見書」を提出する機会が与えられる（15条の2）。これによって拒絶理由が解消すれば登録査定である。

## 7．拒絶査定不服審判

・意見書を提出したが拒絶理由が解消しなかった場合どうするか？
・特許庁の判断に不服であれば、最終的には裁判所で争うことになるが、拒絶査定という審査の最終処分に対してはいきなり裁判所に持って行くのではなく、まず特許庁の「審判」という制度に委ねてから裁判所で審理判断するという方法をとっている（審判は、審査の上級審にあたる）。
・拒絶査定に不服であれば、拒絶査定を受けた者は「拒絶査定不服審判」を請求することができる（44条）。審査で拒絶されても、審判で覆り、登録されることもある。
・審判を請求したが覆らなかった場合（審査における拒絶査定が維持された場合）はどうするか？　審判における判断結果に不服であれば、ここから裁判所に行くのである。特許庁という行政機関による判断は、審査、審判まで。これ以上争わないということであれば、審判での結論で確定することになる。
・審判の結論を「審決」という。審決に不服であれば裁判所で争うことになるが、これが「審決取消訴訟」であり、特許庁（特許庁長官）を相手とする行政訴訟である。
・審判には「拒絶査定不服審判」以外に、商標権発生後に登録を無効にすることができる「商標登録無効審判」(46条)、登録後一定期間使用していないと取り消される「不使用取消審判」(50条）等がある。また、登録後、商標掲載公報発行の日から２カ月以内に限って「異議申立」(43条の２）をし、登録を取り消すことができる。

## 8．審決取消訴訟

・審決に対する訴えは、東京高等裁判所の専属管轄である（63条)。裁判は通常、地裁、高裁、最高裁と進むが（三審制)、地裁を飛ばして高裁から始まるのは、特許庁における審判を第１審とみるからである。平成16年に知的財産を専門に取り扱う知的財産高等裁判所ができたため、現在では、知的財産高等裁判所（東京高裁の特別支部）が審理している。

・特許庁の判断が裁判所によって覆されたらどうなるか？　最終的な判断機関は裁判所といっても、登録するしないの決定権は裁判所にはない。商標権という権利は特許庁（行政機関）が付与する（三権分立；司法権と行政権の独立)。したがって、裁判所が判断するのは、特許庁の判断に誤りがあったかどうかの審決の違法性についてであり、審決が誤りであればその審決を取り消すのみである。

・裁判所によって審決が取り消されると、特許庁に戻り審判が再開される。このとき特許庁は裁判所の判断に拘束される（行政事件訴訟法33条１項)。したがって、再開した審判で先の判断を覆してここで登録査定になるのである。なお、ここでの審判再開は商標法第六章再審及び訴訟に規定する「再審」（57〜62条）のことではないので注意のこと。知財高裁での判断に不服であれば、さらに最高裁で争うことができる。

## 9．出願中の第三者による使用　── 金銭的請求権

・商標登録出願をし、商標権がまだ発生していない間に、第三者に出願商標と同一の範囲を使われた場合、「警告」を条件として、警告後設定の登録前の使用に対し、生じた業務上の損失相当額の支払いを請求することができる権利を認めている（金銭的請求権；13条の２)。行使できるのは登録後で、登録日から３年以内である（13条の２第２項、民法724条)。

## 10. 登録　── 商標権の発生

・登録査定がなされ、登録料を納付すると、登録原簿（商標原簿）に登録され（71条）、商標権が発生する（設定の登録；18条）。権利の発生は、登録料を納付することが前提である（40条１項；2024年現在１件（１区分）32,900円）。分割納付もできる（41条の２）。商標原簿は、不動産の登記簿謄本と同様、権利書の役割をはたす。

・商標権の存続期間は設定の登録の日から10年である（19条１項）。更新することができる（19条２項）。したがって、10年ごとに更新し続ければ半永久的に権利は存続することになる。更新制度は、他の産業財産権にはない大きな特徴である（更新のときは、「更新登録申請」という）。

## 11. 外国出願

・法律は国を越えて効力が及ぶことはないから、外国でビジネスを展開する場合、保護を求めるその国の法律に基づいて、国ごとに権利を取得する必要がある。外国で商標権を取得するには、保護を求める各国に①直接出願するか、②パリ条約に基づく優先権を主張して出願するか、③マドリッド協定議定書（通称マドプロ）に基づく国際出願をするか、のいずれかの方法がある。

・パリ条約に定める優先権（４条A(1)）とは、パリ条約の同盟国（A国）に出願した日から優先期間内に他の同盟国（B国、C国）に出願すれば、その間は不利な扱いを受けないという権利である。優先期間は６カ月である（４条C(1)）。第１国出願から６カ月以内に第２国に優先権を主張して出願すれば、第２国出願は第１国出願の時にしたものとして扱われる。

・マドプロによる国際出願では、締約国の官庁（日本国特許庁）にした出願または登録を基礎として保護を求める締約国を指定し、日本国特許庁を通じてWIPOの国際事務局に出願すると、指定国の保護が与えられる。１つの言語（英語）、１度の手続きで、複数国に権利取得が可能である。ただし５年間は本国での基礎出願、基礎登録に従属するので、拒絶や無効等で消滅すると国際登録も消滅する（セントラルアタック制度）。

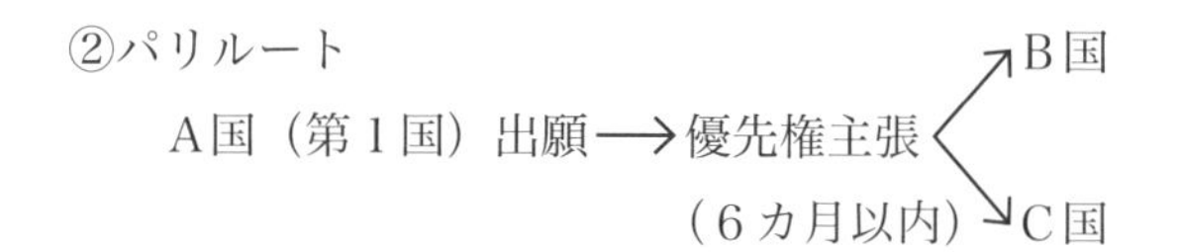


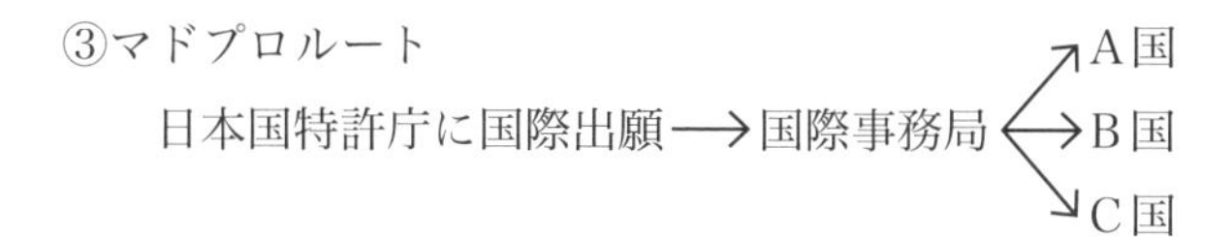


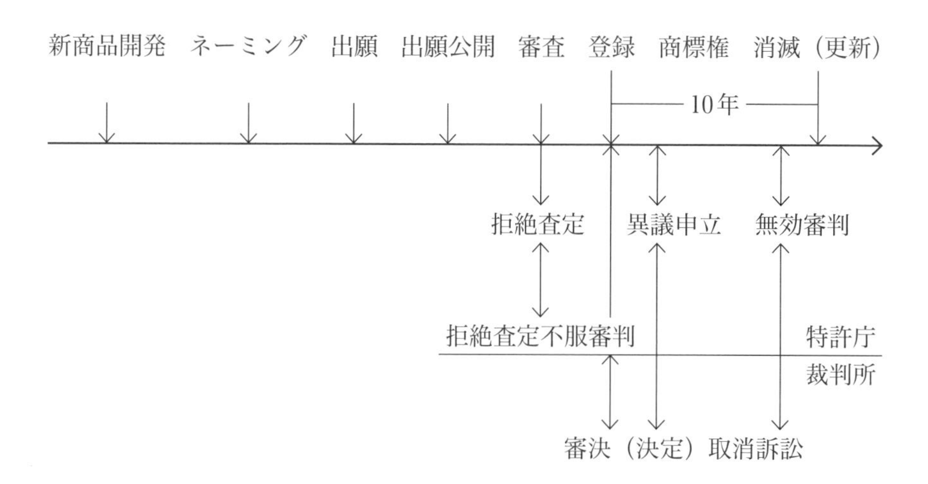

### 商品及び役務の区分（商標法施行令２条別表）

| | |
|---|---|
| 第１類 | 工業用、科学用又は農業用の化学品 |
| 第２類 | 塗料、着色料及び腐食の防止用の調整品 |
| 第３類 | 洗浄剤及び化粧品 |
| 第４類 | 工業用油、工業用油脂、燃料及び光剤 |
| 第５類 | 薬剤 |
| 第６類 | 卑金属及びその製品 |
| 第７類 | 加工機械、原動機（陸上の乗物用のものを除く。）その他の機械 |
| 第８類 | 手動工具 |
| 第９類 | 科学用、航海用、測量用、写真用、音響用、映像用、計量用、信号用、検査用、救命用、教育用、計算用又は情報処理用の機械器具、光学式の機械器具及び電気の伝導用、電気回路の開閉用、変圧用、蓄電用、電圧調整用又は電気制御用の機械器具 |
| 第10類 | 医療用機械器具及び医療用品 |
| 第11類 | 照明用、加熱用、蒸気発生用、調理用、冷却用、乾燥用、換気用、給水用又は衛生用の装置 |
| 第12類 | 乗物その他移動用の装置 |
| 第13類 | 火器及び火工品 |
| 第14類 | 貴金属、貴金属製品であって他の類に属しないもの、宝飾品及び時計 |
| 第15類 | 楽器 |
| 第16類 | 紙、紙製品及び事務用品 |
| 第17類 | 電気絶縁用、断熱用又は防音用の材料及び材料用のプラスチック |
| 第18類 | 革及びその模造品、旅行用品並びに馬具 |
| 第19類 | 金属製でない建築材料 |
| 第20類 | 家具及びプラスチック製品であって他の類に属しないもの |
| 第21類 | 家庭用又は台所用の手動式の器具、化粧用具、ガラス製品及び磁器製品 |
| 第22類 | ロープ製品、帆布製品、詰物用の材料及び織物用の原料繊維 |
| 第23類 | 織物用の糸 |
| 第24類 | 織物及び家庭用の織物製カバー |

| | |
|---|---|
| 第25類 | 被服及び履物 |
| 第26類 | 裁縫用具 |
| 第27類 | 床敷物及び織物製でない壁掛け |
| 第28類 | がん具、遊戯用具及び運動用具 |
| 第29類 | 動物性の食品及び加工した野菜その他の食用園芸作物 |
| 第30類 | 加工した植物性の食品（他の類に属するものを除く。）及び調味料 |
| 第31類 | 加工していない陸産物、生きている動植物及び飼料 |
| 第32類 | アルコールを含有しない飲料及びビール |
| 第33類 | ビールを除くアルコール飲料 |
| 第34類 | たばこ、喫煙用具及びマッチ |
| 第35類 | 広告、事業の管理又は運営、事務処理及び小売又は卸売の業務において行われる顧客に対する便益の提供 |
| 第36類 | 金融、保険及び不動産の取引 |
| 第37類 | 建設、設置工事及び修理 |
| 第38類 | 電気通信 |
| 第39類 | 輸送、こん包及び保管並びに旅行の手配 |
| 第40類 | 物品の加工その他の処理 |
| 第41類 | 教育、訓練、娯楽、スポーツ及び文化活動 |
| 第42類 | 科学技術又は産業に関する調査研究及び設計並びに電子計算機又はソフトウェアの設計及び開発 |
| 第43類 | 飲食物の提供及び宿泊施設の提供 |
| 第44類 | 医療、動物の治療、人又は動物に関する衛生及び美容並びに農業、園芸又は林業に係る役務 |
| 第45類 | 冠婚葬祭に係る役務その他の個人の需要に応じて提供する役務（他の類に属するものを除く。）、警備及び法律事務 |

English ×閉じる

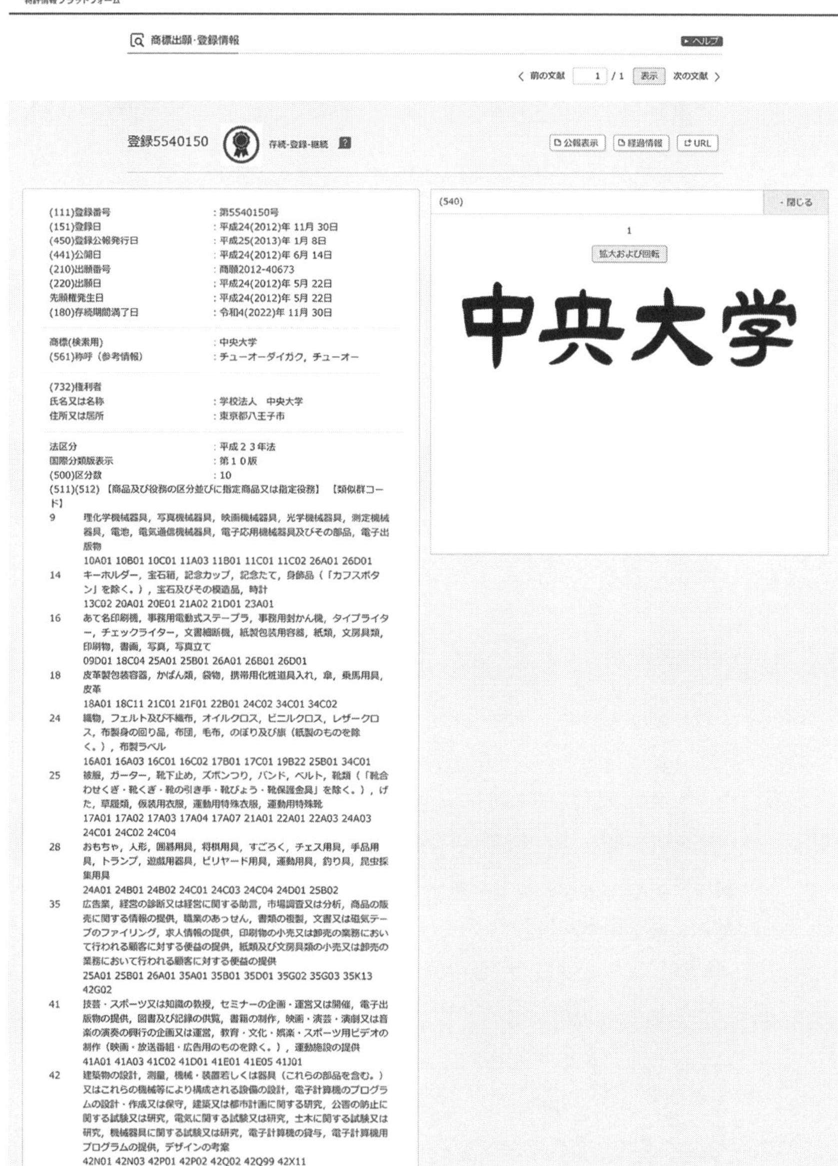

商標出願・登録情報 ▸ヘルプ

〈 前の文献 1 / 1 表示 次の文献 〉

登録5540150 存続-登録-継続

公報表示 経過情報 URL

(111)登録番号 ：第5540150号
(151)登録日 ：平成24(2012)年 11月 30日
(450)登録公報発行日 ：平成25(2013)年 1月 8日
(441)公開日 ：平成24(2012)年 6月 14日
(210)出願番号 ：商願2012-40673
(220)出願日 ：平成24(2012)年 5月 22日
先願権発生日 ：平成24(2012)年 5月 22日
(180)存続期間満了日 ：令和4(2022)年 11月 30日

商標(検索用) ：中央大学
(561)称呼（参考情報） ：チューオーダイガク，チューオー

(732)権利者
氏名又は名称 ：学校法人　中央大学
住所又は居所 ：東京都八王子市

法区分 ：平成２３年法
国際分類版表示 ：第１０版
(500)区分数 ：10
(511)(512) 【商品及び役務の区分並びに指定商品又は指定役務】 【類似群コード】

9 理化学機械器具，写真機械器具，映画機械器具，光学機械器具，測定機械器具，電池，電気通信機械器具，電子応用機械器具及びその部品，電子出版物
10A01 10B01 10C01 11A03 11B01 11C01 11C02 26A01 26D01

14 キーホルダー，宝石箱，記念カップ，記念たて，身飾品（「カフスボタン」を除く。），宝石及びその模造品，時計
13C02 20A01 20E01 21A02 21D01 23A01

16 あて名印刷機，事務用電動式ステープラ，事務用封かん機，タイプライター，チェックライター，文書細断機，紙製包装用容器，紙類，文房具類，印刷物，書画，写真，写真立て
09D01 18C04 25A01 25B01 26A01 26B01 26D01

18 皮革製包装容器，かばん類，袋物，携帯用化粧道具入れ，傘，乗馬用具，皮革
18A01 18C11 21C01 21F01 22B01 24C02 34C01 34C02

24 織物，フェルト及び不織布，オイルクロス，ビニルクロス，レザークロス，布製身の回り品，布団，毛布，のぼり及び旗（紙製のものを除く。），布製ラベル
16A01 16A03 16C01 16C02 17B01 17C01 19B22 25B01 34C01

25 被服，ガーター，靴下止め，ズボンつり，バンド，ベルト，靴類（「靴合わせくぎ・靴くぎ・靴の引き手・靴びょう・靴保護金具」を除く。），げた，草履類，仮装用衣服，運動用特殊衣服，運動用特殊靴
17A01 17A02 17A03 17A04 17A07 21A01 22A01 22A03 24A03 24C01 24C02 24C04

28 おもちゃ，人形，囲碁用具，将棋用具，すごろく，チェス用具，手品用具，トランプ，遊戯用器具，ビリヤード用具，運動用具，釣り具，昆虫採集用具
24A01 24B01 24B02 24C01 24C03 24C04 24D01 25B02

35 広告業，経営の診断又は経営に関する助言，市場調査又は分析，商品の販売に関する情報の提供，職業のあっせん，書類の複製，文書又は磁気テープのファイリング，求人情報の提供，印刷物の小売又は卸売の業務において行われる顧客に対する便益の提供，紙類及び文房具類の小売又は卸売の業務において行われる顧客に対する便益の提供
25A01 25B01 26A01 35A01 35B01 35D01 35G02 35G03 35K13 42G02

41 技芸・スポーツ又は知識の教授，セミナーの企画・運営又は開催，電子出版物の提供，図書及び記録の供覧，書籍の制作，映画・演芸・演劇又は音楽の演奏の興行の企画又は運営，教育・文化・娯楽・スポーツ用ビデオの制作（映画・放送番組・広告用のものを除く。），運動施設の提供
41A01 41A03 41C02 41D01 41E01 41E05 41J01

42 建築物の設計，測量，機械・装置若しくは器具（これらの部品を含む。）又はこれらの機械等により構成される設備の設計，電子計算機のプログラムの設計・作成又は保守，建築又は都市計画に関する研究，公害の防止に関する試験又は研究，電気に関する試験又は研究，土木に関する試験又は研究，機械器具に関する試験又は研究，電子計算機の貸与，電子計算機用プログラムの提供，デザインの考案
42N01 42N03 42P01 42P02 42Q02 42Q99 42X11

(540) -閉じる

1

拡大および回転

中央大学

# 第6講　商標権の効力

■商標権とはどのような権利か

## 1．商標権の効力

・商標登録出願をし、審査をパスして登録料を納付すると商標は登録され、商標権が発生する（18条2項）。商標権者は、指定商品または指定役務について登録商標の使用をする権利を専有する（25条）。自分だけが独占的に使用できることになる（専用権）。
・自らが積極的に使用できる範囲は、登録を受けた商標と同一の範囲である。類似範囲における使用が当然に認められているわけではない。
・登録商標と同一の商標を他人に勝手に使われると、侵害としてこれを排除することができるが、登録商標と類似の範囲であっても、これを使われると商品・役務の出所につき誤認混同を生ずるおそれがある。そこで同一のみならず、類似の範囲の使用をも侵害とみなして排除することができることとしている（禁止権；37条1号）。
・このように、商標権の効力には、自ら排他的独占的に使用することができる「専用権」と、商標法の規定によって侵害とみなされ排他的効力のみを有する「禁止権」とがある。
・類似範囲については、他人が出願したとしても、4条1項11号によって登録を阻止できるから、この範囲は誰の権利にもなっていないはずで、商標権者による事実上の使用は可能である。しかし、他人の登録商標に類似する範囲に入り込むと侵害に発展しかねない（けり合い現象）。もし故意に類似範囲の使用をして商品の品質の誤認または出所の混同を生

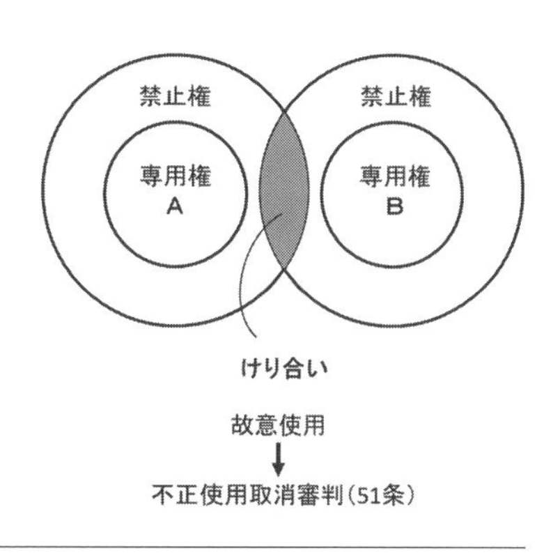

じさせるようなことがあると商標権者の不正使用による取消審判によって登録が取り消されるという制裁規定が用意されている（51条）。
・登録商標の範囲は願書に記載した商標に基づいて定められ（27条1項）、指定商品、指定役務の範囲は願書の記載に基づいて定められる（同条2項）。
・商標権の効力は日本全国に及ぶ。

## 2．商標権の効力の及ぶ範囲

| 商標＼商品・役務 | 同一 | 類似 | 非類似 |
|---|---|---|---|
| 同一 | A | B | CD |
| 類似 | B | B | C |
| 非類似 | C | C | C |

※Aに商標権が発生しているとする。

・A＝専用権（誰にも邪魔されず自分だけが使用できる範囲→独占権）
・B＝禁止権（他人の使用を排除できる範囲→排他権）
・A＋B＝他人の使用を排除できる範囲（侵害の範囲）
・C＝第三者による自由使用が可能な範囲（非侵害の範囲）
・D＝防護標章登録されている場合は禁止権が及ぶ

※防護標章登録制度：Aが著名となっている場合、Dの範囲に登録することで、著名商標を保護する制度（64条）。使用の意思がなくても登録可能。使用を前提としないので「標章」という。不使用取消審判の対象とならない。

〈具体的当てはめ〉

| 商品 役務 / 商標 | 石鹸 | シャンプー | 育毛剤 |
|---|---|---|---|
| 大森林 | A | B | CD |
| 木林森 | B | B | C |
| 森の香 | C | C | C |

※「石鹸」と「シャンプー」は類似とし、「石鹸」と「育毛剤」は非類似とする。
「大森林」と「木林森」は類似とし、「大森林」と「森の香」は非類似とする。

・石鹸に大森林が商標登録され、商標権が発生すると、大森林はA、Bの範囲まで保護されるから、シャンプーについての木林森の使用を禁止することができる。

・大森林が著名商標で、育毛剤に防護標章登録されている場合は、非類似商品である育毛剤の大森林の使用は侵害となる（出願しても４条１項12号によって拒絶される）。

## 3．商標権の効力の及ばない範囲 ── 効力の制限

・たとえば自分と同姓同名の名前が商標登録されて商標権の効力が及び、自分の名前が使えなくなるというのでは不都合である。商品の品質表示のつもりで使っていたら、実は商標登録されていたということもあり得る。このような使用にまで商標権の効力を及ぼすのは妥当でないから、このような場合には商標権の効力が制限される。商標権の効力の制限とは、第三者が商標権の範囲を適法に使用することができる場合と言い換えることができる。

〈商標法26条１項〉

・１号 ── 自己の肖像、自己の氏名・名称、著名な雅号・芸名・筆名、これらの著名な略称　　→４条１項８号参照

・２号 ── 指定商品またはこれに類似する商品の普通名称、産地、販売地、品質、原材料、効能、用途、形状、数量、価格、生産方法、使用方法、生産時期、使用時期、その他の特徴（指定商品に類似する役務を含む）　→３条１項１号、３号参照

・３号 ── 指定役務またはこれに類似する役務の普通名称、提供の場所、質、提供の用に供する物、効能、用途、態様、数量、価格、提供方法、提供時期、その他の特徴（指定役務に類似する商品を含む）
→３条１項１号、３号参照

・４号 ── 慣用商標　→３条１項２号参照

・５号 ── 商品が当然に備える特徴　→４条１項18号参照

・６号 ── 需要者が何人かの業務に係る商品又は役務であることを認識することができる態様により使用されていない商標　→商標的使用（平成26年改正新設）

**〈先使用権 ── 商標法32条１項〉**

・他人の商標登録出願前から不正競争の目的でなくその商標と同一または類似の範囲にある商標を使用して、需要者の間に広く認識されている（周知になっている）ときは、その他人の商標が登録されても商標権の効力は及ばず、継続してその商標を使用することができる。これを「先使用権」という。商標法は、商標を保護することによって商標使用者の業務上の信用維持を図る制度であるから（１条）、登録されていない商標であっても、使用されて信用が蓄積された商標を保護するため、継続して使用する権利を認めている。

・登録されていない他人の周知商標が存在することは、不登録事由に該当し（４条１項10号）、拒絶理由および無効理由であるが、これを見過ごして登録されると、無効審判は５年の除斥期間があるから、このような場合に実益

がある。

■財産権としての商標権

## 1．使用許諾　―― 専用使用権と通常使用権

・商標権を取得すると、登録商標を独占的に使用することができるから、独占する範囲の商標を使用して自己の商品、役務を市場に供給し、収益をあげることができる。
・他人に使用許諾（ライセンス）して収益をあげることもできる。「専用使用権」と「通常使用権」がある。

〈専用使用権〉
・商標権者は、専用使用権を設定することができる（30条1項）。専用使用権は、特許庁に登録する必要がある。登録が効力の発生要件である（30条4項で準用する特許法98条1項2号）。
・専用使用権は、設定行為で定めた範囲で指定商品役務について登録商標を独占的に使用することができる権利であるから、専用使用権を設定すると、商標権者といえども使用することができなくなる（25条ただし書）。商標権と同等の権利であり、専用使用権の侵害に対して専用使用権者に差止請求権が認められている（36条1項）。

〈通常使用権〉
・商標権者は、通常使用権を許諾することができる（31条1項）。当事者の契約によって自由に内容や範囲が決められ、登録は不要である（31条2項）。通常使用権は専用使用権のように「専有」するわけではないから、商標権者は、同じ内容を複数の者に重ねて許諾することが可能である。自らの使用ももちろん可能である。
・他人に使わせるために商標登録出願しても拒絶されるが（3条1項柱書）、いったん登録されると他人にライセンスすることが可能となる。

## 2．商標権の譲渡

・旧法（大正10年法）下では、商標権は営業とともにする場合に限り移転することができる旨の規定があり、営業と分離して移転することができなかった。営業と分離して認めると商品の出所の混同を生じさせるおそれがあり、商品の品質保証もないという理由で認められなかった。現行法は営業と切り離して自由譲渡できることとし、財産としての性格を完全なものとしている(24条の２)。

・類似関係にある商品・役務間でもこれを切り離して自由譲渡を認める。

・使用許諾や自由譲渡を認めているのは、いったん権利が設定されれば、その処分は私的な権利として、私的自治に委ねたほうがよいと考えられたからであろう。商標権は、権利の発生や変動に国（特許庁）の行政処分が介在するため、私権ではないとの疑念を生じかねないが、完全な私権である（TRIPS協定前文)。

・地域団体商標の商標権は譲渡できない（24条の２第４項)。

## 3．商標権の分割移転

・一の商標権に２以上の指定商品・役務がある場合には、指定商品・役務ごとに商標権を分割することができる（24条１項)。すなわち、同一商標を、a商品についてはＸ社に、b商品についてはＺ社に商標権を分割移転することができる。また、権利の有効性を争っている場合に、これを分割できれば、問題となっている商品・役務を切り離し、問題とならない残存部分の商標権を生かすことができる。

・商標が識別標識であるならば、これを他人に譲渡するとか使用許諾するなどナンセンスである。商標権の譲渡や使用許諾が禁止されるのは、これを認めると商標の識別機能が失われ、需要者の商品役務に対する信頼が損なわれるからである。そうだとするなら、識別機能が失われず、商品役務に対する信頼が損なわれなければ、商標の譲渡や使用許諾を認めても差し支えないことになる。ブランドとしての価値が高まれば、大きな顧客吸引力をもち、経済的価値が増大する。そうなると商標を使用許諾して利益を得たいと望むだろうし、場合によっては譲渡して資本にかえることを望むだろう。

・自由譲渡や使用許諾が認められるとしても、移転された結果、一の商標権者が不正競争の目的で他の登録商標と出所の混同を生じさせると審判によって登録が取り消され（商標権移転に伴う不正使用取消審判〈52条の２〉）、また、使用権者が商品の品質、役務の質の誤認を生じさせ、他人の商品役務と混同を生じさせると審判によって登録が取り消される（使用権者による不正使用取消審判〈53条〉）。

・商標権者が禁止権の範囲の登録商標を故意に使用し、商品の品質、役務の質の誤認を生じさせ、他人の商品役務と混同を生じさせた場合も同様である（商標権者の故意による不正使用取消審判〈51条〉）

・自由移転を認めた結果、混同を生じることを防ぐために、移転当事者間で、混同を防ぐのに適当な表示を付すべきことを請求することができる。コンセント制度によって登録された商標についても同様である（混同防止表示請求；24条の４）。

・以上のように、取消審判によって登録を取り消すことにより、また混同防止表示を付すことによって識別機能の喪失や商品役務に対する信頼の低下防止を図っている。

・なお、取消審判には、他に不使用の場合の取消審判、無断登録の場合の取消審判がある。

　・商標権者、使用権者の不使用取消審判（50条）

　・代理人等による不当登録取消審判（53条の２）

## ４．質権の設定

・商標権は財産権であるから、商標権に質権を設定し、商標権を担保に資金の融資を受けることができる（34条）。

# 第7講　商標権の侵害とその救済

■商標権の侵害とは何か

## 1．商標権侵害

・商標法は、36条から39条まで権利侵害について規定しているが、「侵害する者又は侵害するおそれがある者に対し」とするのみで、何をもって侵害であるかについては定めるところがない。

・商標権者は、指定商品または指定役務についての登録商標の使用をする権利を専有し（専用権；25条）、類似の範囲で他人の使用を排除することができるから（禁止権；37条1号）、専用権、禁止権の領域における登録商標の無許諾使用行為が商標権の侵害であるといえる（直接侵害）。

・しかし、直接侵害を禁止するのみでは商標権保護の実効性が図れないので、万全を期すため、侵害を誘発するような予備的行為をも侵害とみなしている（みなし侵害、間接侵害；37条2～8号）。

## 2．侵害の要件

①原告登録商標（商標権）が有効に存続していること

②被告使用商標と原告登録商標が同一または類似であること

③被告使用の商品・役務と原告登録商標の商品・役務が同一または類似であること

④被告商標の使用が商標法2条3項各号所定の使用に該当すること

・したがって、商標が類似するか否か、商品役務が類似するか否か、商標の使用か否かが主たる争点となる。侵害したとされる側（被告）は、これらを否定して争うことになる。

・登録商標については公示制度を設けているから、商標が登録されていたことを知らなかったとか、たまたま類似していた、というのは通用しない。裁判における抗弁事由とならないことに注意。抗弁とは、原告の主張を単に否定するのではなく、原告の請求を排斥するために、原告の主張とは別個の事項を主張することである。

## 3．侵害とみなす行為・予備的行為

・商標権保護の実効性を図るため、直接の侵害行為以外に、予備的段階の行為も侵害とみなしている（37条２～８号）。「みなす」と「推定」の違いに注意。「みなす」は反証を許さずに、そうでないものをそうだとしてしまうこと。「推定」の場合は反証を許すので、そうでないことが証明できれば覆る。37条は「みなす」であるから、反論を許さずに侵害となる。

・商標権侵害となる商品を販売目的で所持すると侵害とみなされる（37条２号）。販売する前の所持の段階で侵害とみなされるのである。包装紙、包装箱、缶、ラベル等を所持する行為も同様である（同５号、６号）。これらを製造、輸入する行為も侵害とみなされる（同７号）。さらに、これらを製造するためにのみ用いる物を業として製造、販売、輸入等する行為まで侵害とみなされる。たとえば商標印刷用の紙型などで、予備行為の予備行為まで広げられている（37条８号）。

**みなし侵害**

| | | |
|---|---|---|
| 37条１号 | 登録商標の類似範囲における商標の使用行為（直接侵害） | 禁止権の範囲の使用<br>主観的目的不要 |
| ２号 | 登録商標の同一類似範囲において、商標を付した商品を譲渡、引渡し、輸出のために所持する行為 | 販売目的のために所持する行為は侵害直前の侵害のおそれあり<br>２条３項２号の予備的行為<br>「ために」の主観的要件必要 |
| ３号 | 登録商標の同一類似範囲において、商標を付した物を用いて役務を提供するために所持、輸入する行為 | 自ら役務提供のために所持等する行為<br>２条３項４号の予備的行為<br>「ために」の主観的要件必要 |

| 4号 | 登録商標の同一類似範囲において、商標を付した物を用いて役務を提供させるために譲渡、引渡し、譲渡引渡しのために所持、輸入する行為 | 他人に役務提供させるために所持等する行為。2条3項4号の予備的行為。所持、輸入は譲渡、引渡しの目的の場合に限られる<br>「ために」の主観的要件必要 |
|---|---|---|
| 5号 | 登録商標を同一類似範囲において自ら使用するため、登録商標と同一類似の商標を表示する物を所持する行為 | 自らの使用のために所持。商品でなくてもよい（半製品)。「商標を表示する物」とは、包装紙、容器、缶、ラベル、シールなど<br>「ために」の主観的要件必要 |
| 6号 | 登録商標を同一類似範囲において他人に使用させるため、登録商標と同一類似の商標を表示する物を譲渡、引渡し、譲渡引渡しのために所持する行為 | 他人に使用させるために所持<br>所持は譲渡、引渡しの目的の場合に限られる<br>「ために」の主観的要件必要 |
| 7号 | 登録商標を同一類似範囲において自ら使用しまたは他人に使用させるため、登録商標と同一類似の商標を表示する物を製造、輸入する行為 | 5号6号から漏れる製造、輸入を対象とする<br>「ために」の主観的要件必要 |
| 8号 | 登録商標またはこれに類似する商標を表示する物を製造するためにのみ用いる物を業として製造、譲渡、引渡し、輸入する行為 | 商標印刷用の紙型、金型等を製造等する行為。予備の予備まで入る「業として」の要件と「ために」の主観的要件必要 |

■商標権侵害と業務上の信用との関係

・商標権の侵害は、商標権の効力範囲の領域における第三者の無断使用であるが、その本質は、その商標が有する「業務上の信用」を害することである。したがって商標保護の実体は、商標自体ではなく、商標が持つ業務上の信用という経済的価値である。他の知的財産、たとえば発明にはそれ自体に経済的価値があるから、特許権の効力範囲に入り込めば、直ちに権利侵害として排除することが認められるが、商標権の場合は、その効力範囲に入り込んで、侵害を構成するとみられる場合であっても、業務上の信用が害されていないときは、権利侵害とはいえない場合がありうる。その代表的なケースとして、「商標的使用」と「真正商品の並行輸入」がある。

## 1．商標としての使用　―― 商標的使用の法理

・登録商標と同一または類似の商品役務に同一または類似の商標を使用すれば商標権侵害を構成するが、その「使用」は、商標として使用しているかが問題となる。商標は自他商品役務識別機能を有するがゆえに、そのような機能を発揮する態様で使用しなければ商標としての使用とはいえないからである。したがってそのような使い方でない場合は、侵害を構成しないとするものである。これを「商標的使用」という。条文上規定がなく、裁判例の積み重ねにより発展した概念（判例理論）で、解釈上認められてきた。

・たとえば、包装用容器を指定商品とする登録商標「巨峰」があるときに、ぶどうの表示として包装箱に「巨峰」と表示して使用した場合や、清涼飲料に「オールウエイ」が商標登録されているときに、コカコーラの缶上に「always」「オールウェイズ」と表示して使用した場合や、レコード等に「UNDER THE SUN」が商標登録されているときに、音楽CDのアルバムタイトルに「UNDER THE SUN」と名づけた場合などに商標権侵害を問えるかの問題である。形式的にはいずれも侵害を構成すると考えられるが、これらは商標的使用ではないとして侵害を否定されている。

・平成26年改正で、26条1項6号の明文規定が設けられたことから、今後商標的使用は、同号による抗弁事由となろう（被告が主張立証責任を負う）。

## 2．真正商品の並行輸入　―― 商標機能論

・外国商品の輸入は、外国企業の日本国内における子会社や総代理店等を通して行われるのが通常である。しかし外国企業が外国で販売した商品を現地で購入し、代理店等を通さずに直接日本国内に輸入するルートもある。これが並行輸入である。正規のルートを通さないで入ってくるほうが安く手に入ることが多いことから価格格差の問題が生じ、正規の代理店等にとっては脅威

となる。低廉な並行輸入品が巷にあふれるとすれば、それまで高価格で販売することにより維持していた商品のブランドイメージが崩れ、単なる値崩れにとどまらない打撃を被ることになりかねない。こうした場合、並行輸入品の流入を阻止する手段として商標権が用いられることがある。

・外国企業が自社の商品に付す商標について日本の商標権を取得していた場合、商標が付されたままの並行輸入品を日本国内に輸入し譲渡する行為は、形式的には登録商標の使用に該当し、輸入、販売を差し止めることができそうである。しかし、正規のルートを通さないで入ってくる並行輸入品も真正商品であり、ニセ物というわけではない。商品自体に差はないのであるから、消費者にとっては歓迎すべきことだろう。

・リーディングケースとなったのは昭和45年のパーカー万年筆事件（S45.2.27大阪地判S43（ワ）7003）である。「原告が輸入販売しようとするパーカー社の製品と被告の輸入販売するパーカー社の製品とは全く同一であって、その間に品質上いささかの差異もない以上、『PARKER』の商標の付された指定商品が輸入販売されても、需要者に商品の出所、品質について誤認混同を生ぜしめる危険は全く生じないのであって、商標の果たす機能は少しも害されることがない」と判示し、並行輸入品についての商標権侵害を否定した。これを受けてわが国税関では、商標権に係る真正商品の並行輸入は商標権の侵害にあたらないものとして取り扱っている。

・並行輸入を許容する根拠として、真正商品の並行輸入は商標の機能（出所表示機能、品質保証機能）を害することがなく、実質的違法性を欠くという商標機能論に求めることができる。

## 3．侵害否定の抗弁（無効の抗弁）

・商標権侵害に対して、侵害したとされる側（被告）は、侵害ではないとして争うほか、対抗手段として商標登録の無効事由を発見し、無効審判を請求するのが常套手段である。商標権が消滅すれば侵害はあり得ないからである。しかし、権利の有効無効を判断するのは特許庁であるから、権利の有効性をめぐって別途特許庁で争うことになる。訴訟中に無効審判が請求されると、その結果を待つため裁判所は訴訟手続を中止することができる（56条1項で準用する特許法168条2項）。

・ところが、無効理由が存在することが明らかで、無効とされることが確実に予見されるときにまでわざわざ特許庁を経る必要があるのかという疑問があった。特許の事件であるが、無効理由の存在が明らかであるときはその特許権に基づく差止め、損害賠償等の請求は、特段の事情がない限り、権利の濫用にあたるとする最高裁の画期的な判決が出され、従来の判例が変更された（最高裁 H12.4.11「キルビー特許」判決 H10（オ）364）。

・これを受けて平成16年の特許法改正で特許法104条の3が新設され、侵害訴訟を審理する裁判所でも無効理由の存在を判断することが可能となった。この射程は商標権にも及ぶものとされている（39条で特許法104条の3を準用）。

・したがって、無効理由を内包する商標権に基づく差止請求等の権利行使は権利の濫用として棄却されることになる。しかし、そのような判決がなされても商標登録が無効となるわけではないことに注意。権利の有効無効の判断はあくまで特許庁の無効審決の確定によるから、裁判所での審理は、無効理由を内包する商標権に基づく権利行使が許されるか否かの判断であるにすぎない。39条で準用する特許法104条の3は、侵害訴訟での抗弁として機能するものである。

・商標登録の無効審判には除斥期間があるので、商標権侵害訴訟において、無効審判の除斥期間経過後に無効の抗弁を主張できるか、という問題がある。肯定、否定の両見解がある。

### ■商標権の侵害に対する救済

## 1．民事的救済

〈差止請求〉

・商標権者または専用使用権者は、自己の商標権または専用使用権を侵害する者に対し、侵害の停止を請求することができる（36条1項）。

・侵害を組成した物の廃棄、設備の除去等を請求することができる（同2項）。

〈損害賠償請求〉

・商標権または専用使用権を侵害した者に対しては損害賠償請求をすることができる。生じた損害を填補する金銭賠償である。
・権利侵害は民法不法行為にあたる（民法709条）。

①故意または過失があること

②他人の権利または法律上の利益を侵害したこと

③損害が発生したこと

④侵害と損害との間に因果関係があること

を立証する必要がある。しかし民法709条に基づく損害賠償請求では上記立証に困難を伴う。そこで商標法はこれらの立証要件を軽減するため、過失の推定規定（39条で準用する特許法103条）、損害額算定容易化の規定（38条）、損害額の計算に必要な書類の提出命令規定（39条で準用する特許法105条）等をおいている。

〈信用回復措置請求〉

・侵害したことにより権利者の業務上の信用を害した者に対し、損害賠償とともに、または損害賠償に代えて信用を回復するのに必要な措置、たとえば新聞、雑誌等へ謝罪広告の掲載等を請求することができる（39条で準用する特許法106条）。

## 2．刑事的救済

〈刑事罰〉

・商標権または専用使用権を侵害した者は10年以下の拘禁刑または1,000万円以下の罰金（78条）、みなし侵害の場合は5年以下の拘禁刑または500万円以下の罰金（78条の2）に処せられる。
・刑法は故意行為を処罰するのが原則である（刑法38条1項）。過失行為は処罰規定があるときに限り罰せられる。商標法には過失処罰規定がないので、故意ある行為のみが刑事罰の対象となる。故意とは、他人の登録商標であることを認識しながら使用することである。

## 3．水際規制

・商標権侵害物品は輸入禁制品とされ（関税法69条の11第１項９号）、税関長は侵害物品を没収して廃棄、積戻しを命じることができる（同69条の11第２項）。侵害物品を輸入した者は10年以下の拘禁刑または1,000万円以下の罰金に処せられる（同109条２項）。

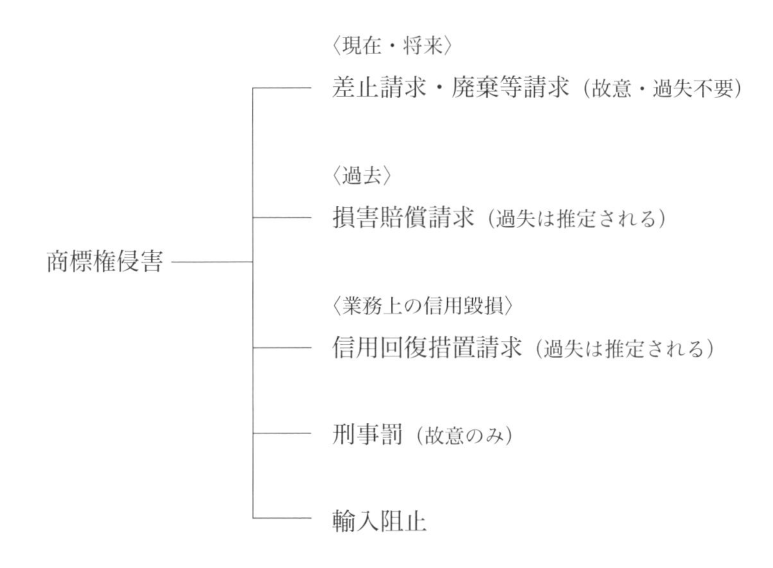


**商標権侵害事件**

| 登録商標 | 使用標章 / 使用態様 |
|---|---|
| 大　森　林 | 木<br>林<br>森 |
| 指定商品：せっけん類、化粧品、香料類等 | 使用商品：頭皮用育毛剤、シャンプー |

<table>
<tr><td>巨峰<br>キヨ　ホウー<br><br>指定商品：包装用容器</td><td>
<br>ダンボール箱</td></tr>
<tr><td>オールウエイ<br><br>指定商品：清涼飲料</td><td>
<br>コーラ</td></tr>
<tr><td>UNDER THE SUN<br><br>指定商品：レコード等</td><td>
<br>CD アルバム</td></tr>
</table>

・「大森林」事件（最高裁 H4.9.22 判決 H3（オ）1805）
・「巨峰」事件（福岡地裁飯塚支部 S46.9.17 判決 S44（ヨ）41）
・「オールウエイ」事件（東京地裁 H10.7.22 判決 H9（ワ）10409）
・「UNDER THE SUN」事件（東京地裁 H7.2.22 判決 H6（ワ）6280）

# 第8講　商標の類似と商品・役務の類似

■商標の類似とは何か

## 1．商標の類似

・先願他人の登録商標と類似の商品役務に、類似の商標を出願したとしても登録されないし（4条1項11号）、そのような商標の使用は商標権の侵害とみなされる（37条1号）。しかし、商標が類似するとはどういうことか、どのような場合に類似するといえるのかについて商標法は何も規定していない。そこで審決、判決を研究する必要がある。

## 2．特許庁における商標の類似判断

・特許庁が公表する商標審査基準（改訂第11版）によれば、
「商標の類否の判断は、商標の有する外観、称呼及び観念のそれぞれの判断要素を総合的に考察しなければならない。」とし、「商標が使用される商品又は役務の主たる需要者層（例えば、専門家、老人、子供、婦人等の違い）その他商品又は役務の取引の実情を考慮し、需要者の通常有する注意力を基準として判断しなければならない。」
とする。

・現実には、対比する商標の「外観」、「称呼」、「観念」のいずれか1つが類似すれば原則、商標は類似すると判断される。

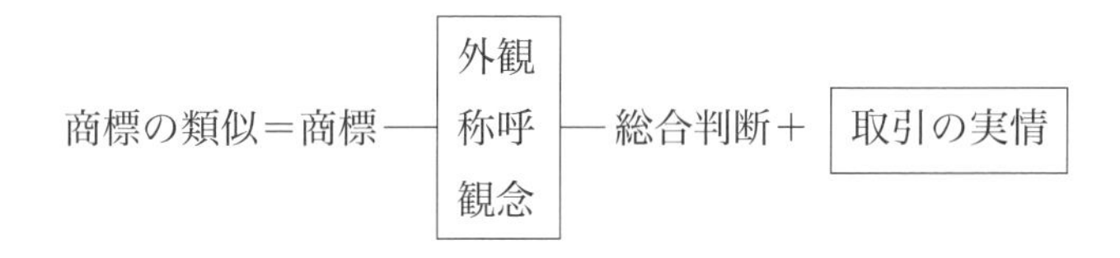

〈外観類似〉

・商標はまず目に飛び込んでくる。図形商標の場合はほとんど見た目で判断される。文字商標であっても、商標の外観が似ていて紛らわしいという場合がある。たとえば「大森林」と「木林森」は、一見して見間違えそうである。このように視覚によって似ていると判断される場合、これを「外観類似」という。

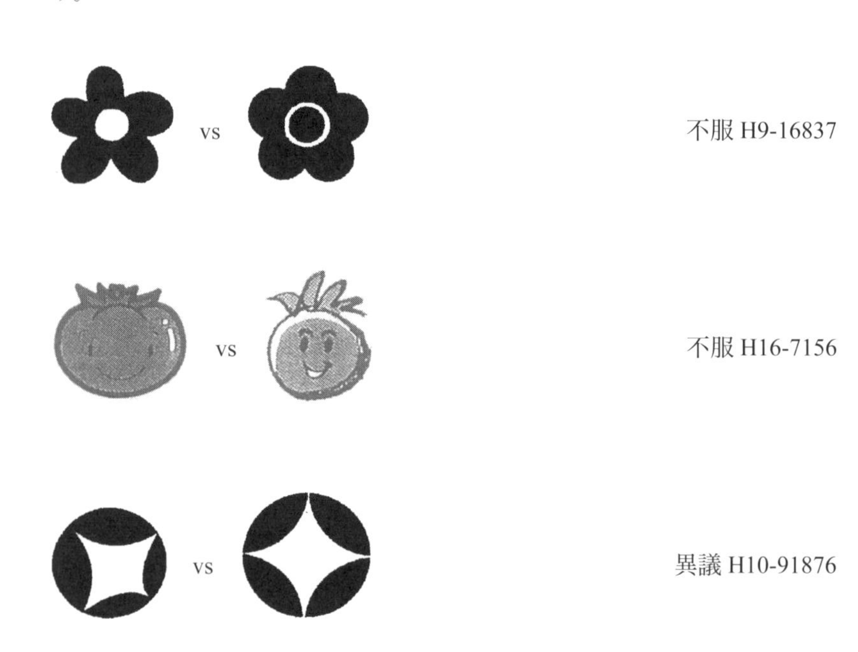


〈称呼類似〉

・文字商標の場合は、読みが発生する。実際発音してみて聴覚から似ていると判断される場合、これを「称呼類似」という。たとえば、

・「VANCOCIN」と「BUNCOMIN」　※同数音の称呼からなり、相違する1音が母音共通

・「アトミン」と「アタミン」　※同数音の称呼からなり、相違する1音が50音図の同行

・「クレカ」と「グレカ」 ※同数音の称呼からなり、相違する1音が清音、濁音、半濁音の差
・「コロネート」と「CORONET」 ※相違する1音が長音、促音の有無
・「タカシマダイラ」と「カタシマダイラ」 ※比較的長い称呼で1音が転置

などは、相互に称呼類似と判断されよう。ただし、必ず類似と判断されるわけではない。使用する商品や使用態様によって非類似となる場合もある。

痛快！ vs Tsukai 不服 H12-6370

好腸先生 vs 校長先生 不服 H10-17056

Y. E. S. vs YES 不服 H12-6424

〈観念類似〉

・対比する両商標の意味が同一の場合、観念類似とされる。たとえば「タイガー」と「虎」、「バラ」と「ローズ」など。しかし辞書を調べて初めて意味が同一であると判明するような場合は、観念類似とはいえない。

雪印 vs SNOW 不服 S61-3826

月光 vs moonlight 不服 H10-13735

初恋 vs FirstLove 不服 H3-15697

収穫 vs ハーベスト/HARVEST 不服 H12-19346

## 3．裁判所における商標の類似判断

・昭和43年２月27日の「氷山印」最高裁判決（S39（行ツ）110）は、
「商標の類否は、対比される両商標が同一又は類似の商品に使用された場合に、商品の出所につき誤認混同を生ずるおそれがあるか否かによって決すべきであるが、それには、そのような商品に使用された商標がその外観、観念、称呼等によって取引者に与える印象、記憶、連想等を総合して全体的に考察すべく、しかもその商品の取引の実情を明らかにしうるかぎり、その具体的な取引状況に基づいて判断するのを相当とする。」
「商標の外観、観念または称呼の類似は、その商標を使用した商品につき出所の誤認混同のおそれを推測させる一応の基準にすぎず、従って、右三点のうちその一において類似するものでも、他の二点において著しく相違することその他取引の実情等によって、なんら商品の出所に誤認混同をきたすおそれの認めがたいものについては、これを類似商標と解すべきではない。」と判示する。
・この最高裁判決は、同種の類似事件に必ずといってよいほど引用され、判例理論として定着している。

指定商品旧26類　ガラス繊維糸　　指定商品旧26類　糸

## ４．問題点

１．裁判所の判断基準は「類似」ではなく「混同」である。条文上は「類似」である。

・出所の混同防止を図ることは商標法の趣旨そのもの。出所の混同防止を図るために出所の混同を生ずるおそれで判断すると言ったのではトートロジー（同語反復）。問に対して問をもって答えている。出所の混同防止を図るために「類似」という概念を導入したのではないか。だからこそその基準が問われるのであって、混同するかどうかは、類似していることから生じる結果である。「類似」と「混同」は同義？

２．商標の外観、称呼、観念のいずれか１つが類似すれば原則、商標は類似するとするのが特許庁のプラクティス。裁判所は、外観、称呼、観念は混同判断の一応の基準にすぎない。決め手となるのは取引の実情である。わが国商標法は未使用商標でも登録可能な登録主義を採用するから、未使用商標に具体的な取引の実情は考慮できない。使用していなければ混同も生じない。裁判所は使用を前提とした不正競争防止法上の解釈をしている。

３．商標法は一般法を前提とした特別法であり、一般法の解釈を無視した商標法の解釈は許されるべきではない。商標法は誰のどのような内容の権利が存在するのかをあらかじめ登録しておく仕組みについて定めた法律である。商標権は設定の登録という国の行政処分によって発生するのであり、登録の場面では行政法上の解釈が必要であろう。

・行政判断は、公共的な見地からその目的（取引秩序の維持）を実現するために画一的になされるから、ここでの判断は、形式的・定型的な検討を行うべきものと考えられる。

・適用の場を異にするに従って、類似判断の基盤も異なる。裁判所の判断基準は、侵害訴訟において妥当する考え方なのではなかろうか。

４．行政機関の判断は最終判断ではあり得ず、法の支配の原則により裁判所の判断に統一されるべきとの見解がある。特許庁は裁判所の考え方に従うべきか。

■商品・役務の類似とは何か

## 1．商品および役務の類似

・先願他人の登録商標と類似の商品役務に類似の商標を出願しても拒絶されるし（4条1項11号)、そのような商標の使用は侵害とみなされる（37条1号)。つまり、商標の類似のみならず、商品や役務の類似も問題となる。しかし、どのような場合に商品役務が類似するのかについて商標法は何も規定していない。そこで審決、判決を研究する必要があるが、商品役務の類似については、商標の類似ほどに関心がもたれず、議論もなされていない。審決、判決の蓄積も少なく、盲点となっている。

・商品および役務の区分（1～45類）は、商品役務の類似範囲を定めるものではない。

## 2．特許庁における商品および役務の類似判断

・特許庁の商標審査基準（改訂第11版）によれば、

「商品の類否を判断するに際しては、次の基準を総合的に考慮するものとする。

1．生産部門が一致するかどうか

2．販売部門が一致するかどうか

3．原材料及び品質が一致するかどうか

4．用途が一致するかどうか

5．需要者の範囲が一致するかどうか

6．完成品と部品との関係にあるかどうか」

「役務の類否を判断するに際しては、次の基準を総合的に考慮するものとする。

1．提供の手段、目的又は場所が一致するかどうか

2．提供に関連する物品が一致するかどうか

3．需要者の範囲が一致するかどうか

4．業種が同じかどうか

5．当該役務に関する業務や事業者を規制する法律が同じかどうか

6．同一の事業者が提供するものであるかどうか」

・平成３年のサービスマーク導入の際の商標法改正で、商品と役務間にも類似関係がある旨規定したため（２条６項)、審査基準に商品役務間の類否の基準を設けた。

「商品と役務の類否を判断するに際しては、例えば、次の基準を総合的に考慮した上で、個別具体的に判断するものとする。

1．商品の製造・販売と役務の提供が同一事業者によって行われているのが一般的であるかどうか

2．商品と役務の用途が一致するかどうか

3．商品の販売場所と役務の提供場所が一致するかどうか

4．需要者の範囲が一致するかどうか」

## 3．裁判所における商品の類似判断

・昭和36年６月27日の「橘正宗」最高裁判決（S33（オ）1104）は、

「指定商品が類似のものであるかどうかは、原判示のように、商品自体が取引上誤認混同の虞があるかどうかにより判定すべきものではなく、それらの商品が通常同一営業主により製造又は販売されている等の事情により、それらの商品に同一又は類似の商標を使用するときは同一営業主の製造又は販売に係る商品と誤認される虞があると認められる関係にある場合には、たとえ、商品自体が互に誤認混同を生ずる虞がないものであっても、それらの商標は商標法（大正10年法律99号）２条９号にいう類似の商品の商品にあたると解するのが相当である」と判示する。

※アンダーラインは「商品」のミスプリントであろう。

| 商品 | 日本酒 | 焼酎 |
|---|---|---|
| 商標 | 橘正宗 | 橘焼酎 |

## ４．問題点

1．商品が類似するかどうかの判断は、同一または類似の商標が使用された場合に出所の混同を生ずるかどうかであるとすると、商標の類似判断基準と同じである。そうすると商標の類似とは別に商品の類似を独立の要件として別個に判断する必要はない？

・商品の出所の混同は、商品に商標を付した場合における商品と商標との相対的関係に基づいて生ずる問題であって、商品の類似とは必ずしも結びつかない。なぜなら、商標が著名であれば、これを非類似の商品に使用しても出所の混同を生ずることがあるからである。類否判断をすべき商品について、ある一の商標を用いるときは非類似となり、他の商標を用いるときは類似となる結果を生ずることになる。これでは商品の類似を問題にする必要はなくなる。商標の類似のみを考えればよいことになる。

2．商標とは無関係に、商品の材料、用途、製造・販売者などの共通性から商品自体を比較すべきと考えるが、この考え方は、平成３年の商標法改正時に、商品と役務間にも類似関係があるとの新設の規定（２条６項）が設けられたことから、理論的根拠を失った？

3．たとえば自動車と自転車という商品は類似するか？　自動車という商品と自動車の修理という役務は類似するか？

---

〈特許庁商標審査基準の改訂〉

・商標の審査基準が改訂された（改訂第13版）。平成29（2017）年４月１日以降の審査に適用される。４条１項11号における商標および商品・役務の類否判断についての基本的な考え方は以下の通りである。

1．商標の類否判断方法について

・「商標の類否は、出願商標及び引用商標がその外観、称呼又は観念等によって需要者に与える印象、記憶、連想等を総合して全体的に観察し、出願商標を指定商品又は指定役務に使用した場合に引用商標と出所混同のおそれがあるか否かにより判断する。なお、判断にあたっては指定商品又は指定役務における一般的・恒常的な取引の実情を考慮するが、当該商標が現在使用されている商品又は役務についてのみの特殊的・限定的な取引の実情は考慮しないものとする。」

※「外観、称呼及び観念のそれぞれの判断要素を総合的に考察する」から、裁判所の考え方と同様「出所混同のおそれがあるか否かにより判断する」に変更された。商標の外観、称呼、観念は、出所混同のおそれを判断する要素にすぎないことになる。「氷山印」判決内容を全面的に取り入れた形となったが、裁判所の考え方にも問題があることは先にみた通りである。実務においては十分な検討を要する。

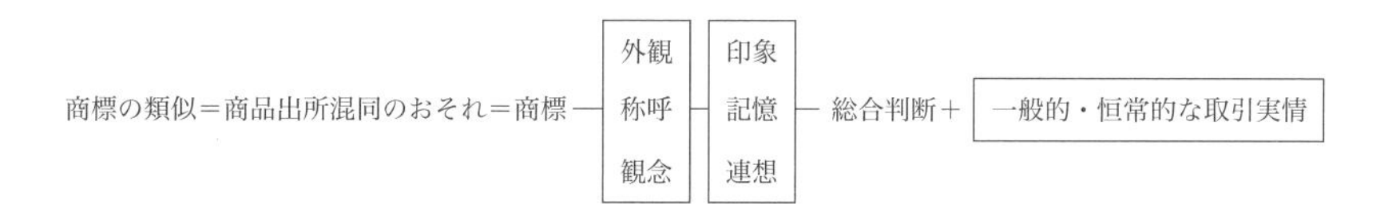


※取引の実情に関して注目すべき判決がある。「保土谷化学工業社標」事件（最高裁昭和49年４月25日判決 S47（行ツ）33）は、４条１項11号（登録の場面）の類否判断における取引の実情とは、「その指定商品全般についての一般的、恒常的なそれを指す」もので、浮動的事情は含まれないとしている。改訂された審査基準はこの考え方を取り入れたものといえる。

２．商品又は役務の類否判断について

・「商品又は役務の類否は、商品又は役務が通常同一営業主により製造・販売又は提供されている等の事情により、出願商標及び引用商標に係る指定商品又は指定役務に同一又は類似の商標を使用するときは、同一営業主の製造・販売又は提供に係る商品又は役務と誤認されるおそれがあると認められる関係にあるかにより判断する。」

# 第９講　異議申立・審判・訴訟

■商標をめぐる争い

・商標をめぐる争いは、商標権を侵害したとして争う侵害訴訟（民事訴訟）ばかりではない。特許庁の判断の是非（審決）について争う審決取消訴訟（行政訴訟）はもちろんのこと、審判や異議の申立ても商標をめぐる争いとみることができる。

・いつ（時期的要件）、誰の（主体的要件）、何（請求理由）についての争いなのか、それぞれの事件の趣旨、要件、効果について整理、確認しておくこと。

・以下の７例について、実際の審決、判決を読んでみよう。審決は特許情報プラットフォーム（J-PlatPat）から、判決は裁判所 HP から入手できる。

## １．登録異議の申立て（商標法43条の２）

・趣旨：過誤登録の是正

・主体的要件：何人も（誰でも）

・時期的要件：商標掲載公報の発行日から２カ月以内

・異議理由：３条、４条１項、５条５項、７条の２第１項、８条１項・２項・５項、51条２項、52条の２第２項、53条２項、77条３項、条約違反

・効果：理由あり　→　登録取消決定　→　取消決定取消訴訟

※出訴せず取消決定が確定すると登録は取り消され商標権は遡及消滅

：理由なし　→　登録維持決定　→　出訴不可

**★事例１：「図形」（25類）vs「図形」H10-91876**

## 2．拒絶査定不服審判（商標法44条）

・趣旨：審査（拒絶査定）に対する不服の申立て

・主体的要件：拒絶査定を受けた者

・時期的要件：拒絶査定の謄本送達日から３カ月以内

・請求理由：拒絶理由の当否（３条、４条１項、５条５項、６条１項・２項、７条の２第１項、８条２項・５項、51条２項、52条の２第２項、53条２項、77条３項、条約違反）

・効果：拒絶査定は正当（請求不成立審決）→　審決取消訴訟

　※出訴せず拒絶審決が確定すると拒絶査定は確定

　：拒絶査定は失当（請求成立審決）→　登録査定

**★事例２：「初恋」（30類）vs「FIRSTLOVE」H3-15697**

**★事例３：「痛快！」（16類）vs「TsuKai」H12-6370**

## 3．商標登録無効審判（商標法46条）

・趣旨：商標権の有効性をめぐる当事者間の紛争解決

・主体的要件：利害関係人

・時期的要件：いつでも。商標権消滅後もできる。理由によっては５年の除斥期間あり。

・無効理由：３条、４条１項、５条５項、７条の２第１項、８条１項・２項・５項、51条２項、52条の２第２項、53条２項、77条３項、条約違反、無権利者による登録、登録後に生じた理由

・効果：理由あり　→　請求成立審決　→　審決取消訴訟

　：理由なし　→　請求不成立審決　→　審決取消訴訟

　※出訴せず無効審決が確定すると登録は無効とされ商標権は遡及消滅

**★事例４：「スーパーマン」（３類）vs「スーパーマン/SUPERMAN」H11-35114**

## 4．審決取消訴訟（商標法63条）

・趣旨：行政処分（審決）の違法性の是正
・主体的要件：審決を受けた当事者、参加人、参加を申請して拒否された者
・時期的要件：審決の謄本送達日から30日以内
・理由：審決の違法性

**★事例５：「Magic」H12（行ケ）422**

**★事例６：「氷山印」（旧26類）vs「しょうざん」S39（行ツ）110**

※事例５の前提である審判は、不使用取消審判であるので説明する。
　なお、コラム１参照。

**〈不使用による商標登録取消審判〉**（50条）

趣旨：不使用登録商標（保護すべき実体のない登録商標）の整理

主体的要件：何人も（誰でも）

請求要件：継続して３年以上、日本国内において、各指定商品役務について、商標権者、使用権者のいずれもが不使用のとき

効果：請求成立審決　→　審決取消訴訟
　　　請求不成立審決　→　審決取消訴訟

※取消審決が確定すると商標権は審判請求登録日に遡及して消滅

## 5．商標権侵害訴訟

・趣旨：商標の使用をめぐる当事者間の紛争解決
・主体的要件：商標権者、専用使用権者
・時期的要件：商標権存続期間中いつでも
・理由：登録商標と同一類似範囲での無許諾使用行為

**★事例７：「大森林」（４類）vs「木林森」H3（オ）1805**

## ★事例1

【管理番号】第１０２９７８２号
【総通号数】第１６号
（１９０）【発行国・地域】日本国特許庁（ＪＰ）
【公報種別】商標決定公報
【発行日】平成１３年4月２７日（２００１．４．２７）
【種別】異議の決定
【異議申立番号】平成１０年異議第９１８７６号
【異議申立日】平成１０年9月２５日（１９９８．９．２５）
【確定日】平成１２年１１月1日（２０００．１１．１）
【審決分類】
Ｔ１６５１．２５１－Ｙ　（０２５）
Ｔ１６５１．２６１－Ｙ　（０２５）
Ｔ１６５１．２７１－Ｙ　（０２５）
【異議申立件数】１
（７３２）【権利者】
【氏名又は名称】フレッシュ・ジャイブ・マニュファクチュアリング・インコーポレイテッド
【住所又は居所】アメリカ合衆国、９００１５　カリフォルニア州、ロス・アンジェルス、サウス・オリーブ・ストリート、１３１７
【代理人】
【弁理士】
【氏名又は名称】深見　久郎
【代理人】
【弁理士】
【氏名又は名称】森田　俊雄
【代理人】
【弁理士】
【氏名又は名称】竹内　耕三
【異議申立人】
【氏名又は名称】リスコ、スポーツ、インコーパレイティド
【住所又は居所】アメリカ合衆国　フローリダ州　３３６３４、タムパ、ノース・フーヴァ・ブリヴァード　５７３０番
【代理人】
【弁理士】
【氏名又は名称】真田　雄造
【代理人】
【弁理士】
【氏名又は名称】中島　宣彦
【代理人】
【弁理士】
【氏名又は名称】尾原　静夫
【事件の表示】
　登録第４１５３２４６号商標の商標登録に対する登録異議の申立てについて、次のとおり決定する。
【結　論】
　登録第４１５３２４６号商標の商標登録を維持する。
【理　由】
１．本件商標
　本件登録第４１５３２４６号商標(以下、「本件商標」という。)は、平成９年1月１０日に登録出願され、別記（１）に示すとおりの構成よりなり、第２５類に属する商標登録原簿に記載のとおりの商品を指定商品として、同１０年6月５日に設定登録されたものである。

２．登録異議の申立ての理由

本件商標は、昭和５４年2月２２日に登録出願され、別記（２）に示すとおりの構成よりなり、第１７類に属する商標登録原簿に記載のとおりの商品を指定商品として、同６１年１０月２８日に設定登録されている登録第１９０６８５３号商標及び昭和６２年1月１９日に登録出願され、別記（３）に示すとおりの構成よりなり、第２４類に属する商標登録原簿に記載のとおりの商品を指定商品として、平成3年１０月３０日に設定登録されている登録第２３４８１５０号商標（以下これらを合せて、「引用商標」という。)と外観上類似するものであり、かつ、両者の指定商品は抵触するものであるから、商標法第４条第１項第１１号に該当する。

また、引用商標は、登録異議申立人（以下、「申立人」という。）が、商品「靴」に使用し、取引者・需要者の間に広く認識されている商標であるところ、本件商標は、引用商標に類似する商標であり、かつ、本件商標をその指定商品について使用するときは、申立人の業務に係る商品とその商品の出所について混同を生ずるおそれがあるから、商標法第4条第１項第１０号及び同第１５号にも該当する。

したがって、本件商標の登録は取り消されるべきである。

３．当審の判断

本件商標は別記（１）に示すとおり、黒塗りの楕円の中に白抜きで変形四辺形を描いてなるのに対して、引用商標の図形部分は別記（２）及び（３）に示すとおり、黒塗りの円の中に白抜きで星形図形を描いてなるものである。

してみれば、両商標は、前記の差異を有することにより、看者に与える印象はかなり相違し、それぞれ異なったものとして記憶されるとみるのが相当であるから、時と処を異にして離隔的に観察するも、外観において相紛れるおそれはないものというべきである。

そして、称呼及び観念についても、本件商標はその構成からして、特定の称呼及び観念を生じ得ないものであるから、引用商標のそれと比較することはできない。

したがって、本件商標と引用商標とは、その外観、称呼及び観念のいずれにおいても類似するものということができない。

また、本件商標は、引用商標とは外観上著しく相違するものであり、他に混同を生ずるとすべき格別の事情も見出し得ないから、これをその指定商品に使用しても、申立人又は同人と関係のある者の業務に係る商品であるかのように、その出所について混同を生ずるおそれのないものである。

したがって、本件商標は、商標法第４条第１項第１０号、同第１１号及び同第１５号のいずれの規定にも違反して登録されたものではない。

よって、結論のとおり決定する。

【異議決定日】平成１２年10月12日（２０００．１０．１２）
【審判長】【特許庁審判官】為谷　博
【特許庁審判官】江崎　静雄
【特許庁審判官】宮下　行雄
本件商標（１）

引用商標（２）

引用商標（３）

SPALDING

（２１０）【出願番号】商願平９－１７３８
（２２０）【出願日】平成９年1月１０日（１９９７．１．１０）
（１１１）【登録番号】商標登録第４１５３２４６号（Ｔ４１５３２４６）
（１５１）【登録日】平成１０年6月5日（１９９８．６．５）
（５６１）【商標の称呼】
【最終処分】維持
【前審関与審査官】福島　昇

★事例2

第4482号　　平成３年審判第15697号　　平成 8.12.26 発行
①18.263－WY（３０）

審　　決

請　求　人　カルビス食品工業　株式会社　東京都渋谷区恵比寿西２丁目20番３号
代　理　人　弁理士　飯田　伸行

昭和61年商標登録願第60822号拒絶査定に対する審判事件（昭和62年12月22日出願公告、商公昭62－100298）について、次のとおり審決する。

結　　論

原査定を取り消す。

本願商標は、登録をすべきものとする。

理　　由

本願商標は、「初恋」の文字を書してなり、第30類「菓子、パン」を指定商品として、昭和61年６月11日に登録出願されたものである。

これに対し、原審において、登録異議の申立があつた結果、本願の拒絶の理由に引用した登録第721367号商標（以下「引用商標」という）は、「FIRST LOVE」の文字を書してなり（第１文字目の「F」および第６文字目の「L」は他の文字よりやや大きく表されている）、第30類「菓子、パン」を指定商品として、昭和40年３月８日に登録出願、同41年９月29日に登録され、その後、２回にわたり商標権存続期間の更新登録がなされ、現に有効に存続しているものである。

そこで検討するに、本願商標と引用商標の構成はそれぞれ前記のとおりであるから、両者は、その外観において互いに区別し得る差異を有するものである。

また、両者の称呼についてみるに、本願商標は「ハツコイ」の称呼を生じ、引用商標は「フアーストラブ」の称呼が生じるものであるから、両商標は、その称呼においても区別できるものである。

次に、両商標から生じる観念について検討するに、本願商標からは、「初恋」の観念が生じると認められるものである。他方、引用商標は「FIRST LOVE」の文字よりなるものであるが、たとえ、ここから「最初の恋（初恋）」の意味合いが看取されるとしても、この文字および、その表音である「フアーストラブ」の語が「初恋」を指称するものとして、日常生活において相互交換的に頻繁に使用されているとはいい難いことから、引用商標に接する取引者・需要者が、ここから直ちに「初恋」の観念を想起し、この観念をもつて専ら取り引きにあたるということはないとみるのが相当である。

そうとすれば、本願商標と引用商標とは観念上の比較ができない商標といわなければならない。

したがつて、本願商標と、引用商標とは、その外観、称呼、観念のいずれの点においても互いに類似する商標ということができないものである。

してみれば、本願商標が商標法第４条第１項第11号に該当するとした原査定は妥当なものとはいえず、取り消しを免れない。

その他、本願を拒絶すべき理由を発見しない。

よつて、結論のとおり審決する。

平成８年８月２日　　審判長　特許庁審判官　田中　照雄
特許庁審判官　宮川　久成
特許庁審判官　中村　謙三

## ★事例３

【管理番号】第１０５３９３９号
【総通号数】第２７号
（１９０）【発行国・地域】日本国特許庁（ＪＰ）
【公報種別】商標審決公報
【発行日】平成１４年3月29日（２００２．３．２９）
【種別】拒絶査定不服の審決
【審判番号】不服２０００－６３７０（Ｔ２０００－６３７０／Ｊ１）
【審判請求日】平成１２年4月28日（２０００．４．２８）
【確定日】平成１４年2月22日（２００２．２．２２）
【審決分類】
Ｔ１８　．２６　－ＷＹ　（Ｚ１６）
【請求人】
【氏名又は名称】株式会社集英社
【住所又は居所】東京都千代田区一ツ橋２丁目５番１０号
【代理人】
【弁理士】
【氏名又は名称】佐藤　一雄
【代理人】
【弁理士】
【氏名又は名称】矢崎　和彦
【代理人】
【弁理士】
【氏名又は名称】小泉　勝義
【事件の表示】
平成１１年商標登録願第４８０３８号拒絶査定に対する審判事件についてされた平成１３年3月1日付け審決に対し、東京高等裁判所において審決取消の判決［平成１３年（行ケ）１４４号、平成１３年１２月１２日判決言渡］があったので、さらに審理のうえ、次のとおり審決する。
【結　論】
原査定を取り消す。
本願商標は、登録すべきものとする。
【理　由】
１　本願商標
本願商標は、別掲（１）に表示のとおりの構成よりなり、平成１１年6月1日登録出願、指定商品は願書記載のとおりである。

２　引用商標
原査定において、本願の拒絶の理由に引用した登録第４２４８９２１号商標（以下「引用商標」という。）は、別掲（２）に表示のとおりの構成よりなり、平成9年8月１１日登録出願、第１６類に属する商標登録原簿に記載のとおりの商品を指定商品として平成１１年3月１２日に設定登録されたものである。

３　当審の判断
本願商標は、さして特徴のない「痛快」との左横書き漢字とその末尾の比較的大きな感嘆符「！」とからなるものであり、また、その構成中、「痛快」の文字部分は、「甚だ愉快なこと。とても気持のよいこと」ないし「気持ちが晴れて大変愉快なさま。胸のすくようなことを見聞したり行ったりして、非常に気持ちがいいさま」を意味する語を表し、かつ、「痛快」の語自体が日常的に親しまれた平易な日本語の熟語であるから、本願商標より、「痛快」、「とても気持ちのよいこと」、「大変愉快なこと」との明確な観念を生ずるものと認めることができる。
他方、引用商標は、別記のように、「Ｔｓｕ」の文字部分が上段に、「Ｋａｉ」の文字部分が下段に配され、各文字部分の先頭の「Ｔ」、「Ｋ」が大文字で、その余の文字が小文字で表された引用商標の構成にかんがみれば、引用商標は、「Ｔｓｕ」の文字部分と「Ｋａｉ」の文字部分との二つの互いに独立した部分からなるものと見るのが自然であり、これより「ツカイ」又は「ツーカイ」のように称呼する場合があっても、それは、互いに独立した二つの文字部分のそれぞれから生ずる「ツ」、「カイ」の各称呼を順に連続的に称呼するということにすぎず、引用商標を「ツーカイ」と称呼することから、看者が、「ツウカイ」と称呼される日本語の熟語の有する意味合いをもって引用商標を把握しようとすることはないものというべきである。

そうとすれば、本願商標と引用商標とは、本願商標から生ずる「ツウカイ」の称呼と引用商標から生ずることのある「ツーカイ」の称呼とが類似するといい得るものの、両者は、外観において著しく相違するものであり、さらに、本願商標からは「痛快」、「とても気持ちのよいこと」、「大変愉快なこと」等の明確な観念を生ずるのに対し、引用商標からは特定の観念が生じないことはもとより、引用商標が何らかの意味合いをもって把握されることもないから、両者は観念においても明瞭に相違するものと認められる。

そして、これらの称呼、外観、観念に基づく印象、記憶、連想等を総合して、全体的に考慮すれば、本願商標及び引用商標が各指定商品に使用されたとしても、取引者、需要者が、商品の出所につき誤認混同を来すおそれはないものと認められる。

したがって、本願商標と引用商標とが類似する商標であるということはできず、本願商標を商標法第４条第１項第１１号に該当するとした原査定は、取消を免れない。

その他、本願について拒絶の理由を発見しない。

よって、結論のとおり審決する。

【審理終結日】平成１３年2月6日（２００１．２．６）
【結審通知日】平成１３年2月9日（２００１．２．９）
【審決日】平成１３年3月1日（２００１．３．１）
【審判長】【特許庁審判官】涌井　幸一
【特許庁審判官】滝沢　智夫
【特許庁審判官】中嶋　容伸

別掲（１）
本願商標

別掲（２）
引用商標

（２１０）【出願番号】商願平１１－４８０３８

（２２０）【出願日】平成１１年6月1日（１９９９．６．１）
（５６１）【商標の称呼】ツーカイ
【最終処分】成立
【前審関与審査官】中東　としえ

## ★事例４

【管理番号】第１０４５４４３号
【総通号数】第２２号
（１９０）【発行国・地域】日本国特許庁（ＪＰ）
【公報種別】商標審決公報
【発行日】平成１３年１０月２６日（２００１．１０．２６）
【種別】無効の審決
【審判番号】平成１１年審判第３５１１４号
【審判請求日】平成１１年3月１２日（１９９９．３．１２）
【確定日】平成１３年8月１３日（２００１．８．１３）
【審決分類】
Ｔ１１１　．２７１－Ｚ　　（００３）
Ｔ１１１　．２２　－Ｚ　　（００３）
Ｔ１１１　．２２２－Ｚ　　（００３）
【請求人】
【氏名又は名称】デイーシー　コミツクス
【住所又は居所】アメリカ合衆国　ニユーヨーク州　１００１９　ニユーヨーク市　ブロードウエイ　１７００
【代理人】
【弁理士】
【氏名又は名称】木村　三朗
【代理人】
【弁理士】
【氏名又は名称】大村　昇
【代理人】
【弁理士】
【氏名又は名称】佐々木　宗治
【代理人】
【弁理士】
【氏名又は名称】小林　久夫
【被請求人】
【氏名又は名称】ライオン株式会社
【住所又は居所】東京都墨田区本所１丁目３番７号
【代理人】
【弁理士】
【氏名又は名称】川津　義人
【事件の表示】
上記当事者間の登録第４１４９７１７号商標の商標登録無効審判事件について、次のとおり審決する。
【結　論】
登録第４１４９７１７号の登録を無効とする。
審判費用は被請求人の負担とする。
【理　由】
１　本件商標
本件登録第４１４９７１７号商標（以下、「本件商標」という。）は、「スーパーマン」の文字を横書きしてなり、平成８年６月２０日登録出願、第３類「植物性天然香料，動物性天然香料，合成香料，調合香料，精油からなる食品香料，薫料，化粧品，歯磨き」を指定商品として平成１０年５月２９日に設定登録されたものである。

２　請求人の主張
請求人は、結論同旨の審決を求めると申し立て、その理由を要旨次のように述べ、証拠方法として甲第１号証ないし同第１１号証を提出している。
本件商標は、商標法第４条第１項第７号、同第１５号及び同第１９号の規定に違反して登録されたものであり、その登録は無効とされるべきである。
（1）本件商標は「スーパーマン」の文字よりなるところ、「スーパーマン」は請求人の制作に係る映画「ＳＵＰＥＲＭＡＮ」のタイトルとして、またその主人公の名前（キャラクター）として本件商標の出願前一般に広く周知されている。
被請求人は、かかる「スーパーマン／ＳＵＰＥＲＭＡＮ」に化体された商品化権の使用について許諾された者でもなく、またこの名称の商標登録について承諾を得た者でもない。
したがって、本件商標は、被請求人が正当な権限を有さずして、他人が商品化権を有する著名なキャラクターの名称を出願したものであるから、その行為は国際信義に悖るものというべく、商標法第４条第１項第７号又は第１９号に該当する。
上記のとおり、本件商標は、請求人が商品化権を有する著名な名称「スーパーマン／ＳＵＰＥＲＭＡＮ」と同一であるから、これがその指定商品に使用されるときは、それら商品が請求人と何らかの関係を有する者によって使用されているかの如く商品の出所について混同を生ずるおそれがある。
よって、本件商標は商標法第４条第１項第１５号に該当する。
（2）請求人の制作に係る映画及びその主人公の名称「スーパーマン／ＳＵＰＥＲＭＡＮ」の周知性について述べる。
映画「ＳＵＰＥＲＭＡＮ／スーパーマン」は、１９４１年米国で初公開されて以来、空飛ぶ超能力を持つ超人として全米を沸き立たせたものであるが、我が国にも戦後紹介されて空前のヒットとなった映画であることは何人にも記憶に新しいところである。
その「ＳＵＰＥＲＭＡＮ／スーパーマン」は、テレビ、ビデオの普及に伴い爆発的人気を呼び、日本にもいち早く導入されたが、その人気の模様を当時の新聞は次のように報道している。
昭和５４年２月８日付読売新聞
「スーパーマンが、４０年ぶりに帰ってきた。日本でも６月には、華々しく銀幕に登場するが、ニューヨーク、パリからは記録的な観客動員が伝えられている。この、時代錯誤にも似た"超人"復活の秘密は何か。力強さよりも、単純で、大衆の胸を打つ"叙情性"が魅力という声も」とスーパーマンを紹介している。
昭和５４年２月１８日付読売新聞
「アメリカにうず巻いているスーパーマン・ブームが、日本にも上陸した。ブームの発端となった映画の封切りは、本国に半年遅れて６月末からだが、スーパーマンを題材にしたテレビ・コマーシャルは、すでに今月初めからお茶の間に流れ始めた。各社入り乱れての競作になっているレコードやマンガ本の売れ行きも急激に伸びている。このほか、ガム、文具からホテル、火災保険の会社のＰＲにまでぞくぞく登場、夏にかけて、日本中をスーパーマンが飛び回りそうだ。」
昭和５４年１月１９日付大阪新聞
「ともかくアメリカでの人気はすごいですよ。主人公は原爆や水爆にあっても不死身、数キロ先の針の落ちる音も聴こえるスーパーヒヤリング、目から熱線を発射と文字通り超人的な能力を持った英雄として描かれています。惑星生まれで、地球上では新聞記者の姿で現れる。そんなところが、ＳＦ的興味ともつながっている。」
昭和５４年７月１４日付産経新聞
「スーパーマン」の商標が、小はエンピツ、ガムから大はタイヤ、自動車まで、この商標を使用したキャラクター商品が１０００種にのぼっている旨を報道している。
昭和５４年７月２８日付夕刊フジ
この夏の洋画のトップ・スターは「スーパーマン」。なにしろ「スーパーマン」のキャラクター商品だけ拾ってみても、衣料品、化粧品、文房具、履物、工芸品、食品・・・ｅｔｃ。保険の分野にまでスーパーマンが登場するといった具合。
昭和５４年２月２８日付アダルト
テレビでは新番組にどっと特殊撮影のものが紹介され、また、レコード会社では２０万枚を売る意気込みであること、更に、商品面ではＴシャツ等３００種類を越える商品にライセンスされていることが報じられている。
（甲第３号証～甲第８号証）
映画「ＳＵＰＥＲＭＡＮ／スーパーマン」は、現在まで３作が封切られている。１９９２年には悪との戦いの後力尽きて死亡したが、１９９３年９月には全米の世論に応えて新生の「スーパーマン」として復活するという奇想天外のストーリーで人気が復活し、現在第４作が予定されている。
上述のとおり、「ＳＵＰＥＲＭＡＮ／スーパーマン」の名は映画及び映画の主人公「ＳＵＰＥＲＭＡＮ／スーパーマン」として本願商標出願前既に日本国中に周知されるに至っている。当然のことながらライセンス商品も多岐に亘りその種類は１０００アイテムを超えている。
ライセンス商品の主なものは文具類（ノート、レターセット、ペン等）、被服（Tシャツ、トレーナー、靴下、水着等）、身飾品（時計、指輪、キーホルダー等）、日用品（傘、貯金箱、グラス、ティッシュペーパー、カーマット等）、化粧品（石けん等）、人形・おもちゃ、寝具、自動車など多岐に亘っている。
請求人は「ＳＵＰＥＲＭＡＮ／スーパーマン」の名とその絵を保護する目的で、「ＳＵＰＥＲＭＡＮ」、「スーパーマン」の文字商標、主人公「スーパーマン」を表した図形商標、「ＳＵＰＥＲＭＡＮ」の文字と主人公「スーパーマン」を表した図形とを組み合わせた商標など、多くの登録商標を所有している。
上記は請求人の活動の一例を示すものであるが、少なくともこれらの活動を通じ「スーパーマン／ＳＵＰＥＲＭＡＮ」は本件商標の出願前、一般に周知されていることは立証される。
過去の審査においても、「スーパーマン」商標、「ＧＡＭＥ ＩＮＮ／スーパーマン」商標が、請求人の「スーパーマン／ＳＵＰＥＲＭＡＮ」の名称が一般に周知されていることが認定され、商標法第４条第１項第７号又は同第１５号に該当するものとして、その出願が拒絶された（甲第１０号証及び甲第１１号証）。

３　被請求人は、本件審判請求に対して、何ら答弁するところがない。

４　当審の判断
本件商標は前記のとおり「スーパーマン」の文字よりなるものであるところ、請求人の提出に係る証拠によれば、米国で製作され人気を得ていた映画「スーパーマン」は、わが国でも昭和５４年に公開され人気を博したことから、わが国における該映画の公開と相前後して映画「スーパーマン」の著作権に関する使用許諾が多岐の商品について行われ、対象となった商品は文房具類、被服、身飾り品など多数の商品に亘っていた。これらの状況は読売新聞、産経新聞などの日刊新聞等で再々報道された。映画「スーパーマン」は、その後シリーズ化され数回製作され公開されたことが認められる。
これらの事実からすれば、「スーパーマン」は映画のタイトル又はその主人公を表すものとして一般に広く認識されていたものと認めることができ、その事実は本件商標の登録査定時においても継続していたものと推認することができる。
そして、請求人は、我が国において「スーパーマン」「ＳＵＰＥＲＭＡＮ」及びそのキャラクターなどの登録商標を所有しており、その事実からすると、請求人は、映画「スーパーマン」の著作権に関するわが国における管理事業に携わっている者と推認できる。
商標権者は、本件審判請求について争っていない。
以上からすると、商標権者は、映画「スーパーマン」の著作権に関して正当な権原を有していないのにもかかわらず、本件商標「スーパーマン」を請求人の承諾を得ずに無断で採択し登録を得たものといわざるを得ないから、このような行為に基づいて登録された本件商標は、公正な取引秩序を阻害するおそれがあるばかりでなく、国際信義に反し公の秩序を乱すおそれがあるものと認められる。
したがって、本件商標は、商標法第４条第１項第７号の規定に違反して登録されたものであるから、同法第４６条第１項第１号の規定により、その登録を無効とすべきものである。
よって、結論のとおり審決する。
【審理終結日】平成１３年5月３０日（２００１．５．３０）
【結審通知日】平成１３年6月１２日（２００１．６．１２）
【審決日】平成１３年6月２８日（２００１．６．２８）
【審判長】【特許庁審判官】廣田　米男
【特許庁審判官】宮下　行雄
【特許庁審判官】野本　登美男

（２１０）【出願番号】商願平８－６７１１０
（２２０）【出願日】平成８年6月２０日（１９９６．６．２０）
（１１１）【登録番号】商標登録第４１４９７１７号（Ｔ４１４９７１７）
（１５１）【登録日】平成１０年5月２９日（１９９８．５．２９）
（５６１）【商標の称呼】スーパーマン
【最終処分】成立
【前審関与審査官】馬場　秀敏

## ★事例５

平成１２年（行ケ）第４２２号　審決取消請求事件（平成１３年５月１６日口頭弁論終結）

判　　　　　決

原　　　　　告　　　Ａ
訴訟代理人弁護士　　川　本　隆　司
被　　　　　告　　　イザンベール株式会社
訴訟代理人弁護士　　田　中　克　郎
同　　　　　　　　　宮　川　美津子
同　　　　　　　　　中　村　勝　彦

主　　　　　文

原告の請求を棄却する。
訴訟費用は原告の負担とする。

事実及び理由

第１　当事者の求めた裁判
　１　原告
　　特許庁が平成１１年審判第３０３２７号事件について平成１２年９月４日にした審決を取り消す。
　　訴訟費用は被告の負担とする。
　２　被告
　　主文と同旨
第２　当事者間に争いのない事実
　１　特許庁における手続の経緯
　　原告は、「Magic」の欧文字を横書きしてなり、平成３年政令第２９９号による改正前の商標法施行令別表の区分による第４類「化粧品、その他本類に属する商品」を指定商品とする登録第０６４４０７７号商標（昭和３７年１２月２６日登録出願、昭和３９年６月３日設定登録、昭和４９年８月２６日、昭和５９年５月２１日及び平成６年７月２８日各存続期間の更新登録、以下「本件商標」という。）の商標権者である。
　　被告は、平成１１年３月１７日、原告を被請求人として、本件商標につき不使用による登録取消しの審判請求をし、その予告登録が同年４月７日（以下「予告登録日」という。）にされた。
　　特許庁は、同請求を平成１１年審判第３０３２７号事件として審理した上、平成１２年９月４日、「登録第０６４４０７７号商標の登録は取り消す。」との審決をし、その謄本は同年１０月１０日に原告に送達された。
　２　審決の理由
　　審決は、別添審決謄本写し記載のとおり、本件商標が、予告登録日前３年以内に日本国内において、その指定商品につき商標権者、専用使用権者及び通常使用権者のいずれによっても使用されていなかったものと認めざるを得ず、かつ、使用していなかったことについて正当な理由があるものとは認められないから、本件商標は、商標法５０条の規定によりその登録を取り消すべきものとした。
第３　原告主張の審決取消事由
　　本件商標は、予告登録日前３年以内に日本国内において、通常使用権者により指定商品につき使用されていたものであり（取消事由１）、また、本件商標と連合商標の関係にあった商標が、予告登録日前３年以内であって連合商標制度の廃止までの間に日本国内において、その通常使用権者により本件商標の指定商品につき使用されていたものである（取消事由２）から、審決には結論に影響を及ぼす瑕疵があり、違法として取り消されるべきである。
　１　取消事由１（本件商標の使用）
　　(1)　原告は、株式会社ピカソ美化学研究所（以下「ピカソ美化学」という。）に対し、本件商標についての通常使用権を許諾している。
　　　ピカソ美化学は、布亀通商株式会社に対し、本件商標の指定商品であるスキンケアクリーム（化粧品製造製品届書販売名「マジック　アロクリーム」、以下「本件クリーム」という。）を、予告登録日前３年以内である平成８年１２月１７日に３６９６個、平成９年３月１０日に２４０個販売したところ、本件クリームの容器には、「ALOE」と「MAGIC」の各欧文字を上下２段に横書きして表した商標（以下「使用商標」という。）が付されていた。
　　　使用商標において、「ALOE」の文字部分は本件クリームの原材料を示すものにすぎず、自他商品識別機能を果たすのは「MAGIC」の文字部分である。そして、本件商標と使用商標の「MAGIC」の文字部分とは、それぞれの構成中の２文字目以下が小文字であるか大文字であるかの点で異なるにすぎず、称呼及び観念が同一であることはもとより、外観も同視し得るものであるから、使用商標は本件商標と社会通念上同一と認められる商標というべきである。

審決は、使用商標につき「『ALOE MAGIC』の・・・文字部分は、全体が同じ書体でまとまりよく一体的に構成されてなるものであるから、その文字中の・・・『ALOE』・・・が『アロエ』等の意味合いを有する語であるとしても、係る構成においてはその文字部分が用途、品質等を表示するものとはいえず、全体で一つの造語を表した商標とみるのが相当である」（審決謄本１１頁２４行目～３０行目）と判断した。しかしながら、上記のとおり使用商標の「ALOE」と「MAGIC」の各文字部分は上下２段に表されているものであり、観念においても称呼においても、「ALOE」と「MAGIC」の各語を一体のものとして把握する契機は乏しい。審決は、このような「ALOE」と「MAGIC」の各文字部分を何らの必然性もなく一体的に構成されるものと判断したものであって、その判断が誤りであることは明らかである。

(2)　また、ピカソ美化学は、「LIP MAGIC」の商標を使用して本件商標の指定商品である口紅を、さらに、「MAGIC COLOR」の商標を使用して本件商標の指定商品であるアイシャドウを、それぞれ予告登録日前３年以内に日本国内において販売した。

「LIP MAGIC」の商標の「LIP」の文字部分は商品の用途を、また、「MAGIC COLOR」の商標の「COLOR」の文字部分は商品の機能をそれぞれ表示するものであって、これらの各商標において、自他商品識別機能を果たすのは「MAGIC」の文字部分である。したがって、これらの商標も本件商標と社会通念上同一と認められる商標というべきである。

(3)　したがって、本件商標は、予告登録日前３年以内に日本国内において、通常使用権者であるピカソ美化学により指定商品につき使用されていたものである。

２　取消事由２（連合商標の使用）

原告は、「MAGIC」の欧文字と「マヂック」の片仮名文字を上下２段に横書きしてなり、旧商標法施行規則（大正１０年農商務省令第３６号）に基づく区分による第３類「香料及び他類に属しない化粧品」を指定商品とする登録第０４３１００６号商標（昭和２７年６月４日登録出願、昭和２８年９月１０日設定登録、昭和４９年３月８日、昭和５８年８月２９日及び平成５年１０月２８日各存続期間の更新登録、以下「関連商標」という。）の商標権者であり、ピカソ美化学に対し関連商標の通常使用権の許諾をしている。

本件商標と関連商標とは、商標法等の一部を改正する法律（平成８年法律第６８号、以下「８年改正法」という。）による商標法の改正によって廃止される前の連合商標（同改正前の同法７条）の関係にあった。そして、本件審判は、平成１２年３月３１日より前に請求されたものであるから、本件審判については同改正前の同法５０条２項の規定がなお効力を有し（８年改正法附則１０条２項）、予告登録日前３年以内であって、かつ、平成９年３月３１日（８年改正法の施行日の前日）までの間に、日本国内において、関連商標の通常使用権者が本件審判請求に係る指定商品についての関連商標の使用をしていれば、本件商標についての商標登録の取消しを免れることができる。

そして、ピカソ美化学が、布亀通商株式会社に対し、平成８年１２月１７日及び平成９年３月１０日に使用商標を用いて本件クリームを販売したことは上記１の(1)のとおりであり、その販売日である平成８年１２月１７日及び平成９年３月１０日は、ともに予告登録日前３年以内であって、かつ、平成９年３月３１日までの間に属する。

また、使用商標の「ALOE」の文字部分が本件クリームの品質、原材料を示すものであり、使用商標が関連商標と社会通念上同一と認められることは、平成１１年審判第３０３２３号事件の審決（甲第１５号証）において判断されているとおりであるから、本件商標と連合商標の関係にあった商標が、予告登録日前３年以内であって連合商標制度の廃止までの間に日本国内において、その通常使用権者により本件審判請求に係る本件商標の指定商品につき使用されていたものである。

第４　被告の反論

審決の認定、判断は正当であり、原告主張の取消事由は理由がない。

１　取消事由１（本件商標の使用）について

(1)　原告は、使用商標が本件商標と社会通念上同一と認められる商標であると主張する。
しかしながら、使用商標は、「ALOE」の文字部分と「MAGIC」の文字部分とが、書体、大きさ及び色彩を同じくし、上下２段にバランスよく配置されており、外観において緊密な一体性を有するとともに、全体として「アロエの魔法」という独立した一個の観念を表しているから、全体として一つの商標を構成するものであることは明らかであり、使用商標に接した取引者、需要者が、単に「MAGIC」の文字部分のみ独立して認識することはあり得ない。
そうすると、使用商標は、「アロエマジック」の称呼及び「アロエの魔法」という観念を生じ、本件商標と称呼及び観念を異にするのみならず、外観においても全く異なるから、使用商標が本件商標と社会通念上同一と認められる商標であるということはできない。
(2) 原告は、「LIP MAGIC」及び「MAGIC COLOR」の各商標が本件商標と社会通念上同一と認められる商標であるとも主張する。
しかしながら、「LIP MAGIC」及び「MAGIC COLOR」の各商標は、「LIP」の文字部分又は「COLOR」の文字部分と「MAGIC」の文字部分とが、それぞれ書体及び色彩を同じくして一体に書してなるものであり、「リップマジック」又は「マジックカラー」とよどみなく称呼し得るものであって、これらの商標に接した取引者、需要者が、単に「MAGIC」の文字部分のみ独立して認識することはあり得ない。
そうすると、これらの商標は、本件商標と称呼、観念及び外観が全く異なるものであって、本件商標と社会通念上同一と認められる商標であるということはできない。
２ 取消事由２（連合商標の使用）について
原告は、使用商標が関連商標と社会通念上同一と認められる商標であると主張する。
しかしながら、使用商標が「ALOE」の文字部分と「MAGIC」の文字部分との全体で一つの商標を構成するものであることは上記１のとおりであり、そうすると、使用商標は、関連商標と称呼、観念及び外観を異にするものであって、社会通念上同一と認められる商標であるということはできない。
第５ 当裁判所の判断
１ 取消事由１（本件商標の使用）について
(1) 原告は、本件商標について通常使用権を有するピカソ美化学が、予告登録日前３年以内に日本国内において、使用商標を用いて本件商標の指定商品である本件クリームを販売したところ、使用商標は本件商標と社会通念上同一と認められる商標というべきであると主張するので、この点について検討する。
本件クリームの容器の写真（甲第１号証の２）によれば、使用商標の態様等につき、本件クリームの円筒形容器の側面の緑色の地に、いずれも白色の欧文字によって、「ALOE」の文字と「MAGIC」の文字とを上下２段に横書きして表したものであること、「ALOE」及び「MAGIC」の各文字部分を構成する文字は、書体及び大きさが同一であること、上段の「ALOE」の文字部分と下段の「MAGIC」の文字部分との間隔は、各文字の大きさの５分の１ないし６分の１程度で、極めて近接しており、かつ、上段の「ALOE」の文字部分の横方向の長さは下段の「MAGIC」の文字部分のそれよりも多少短いものの、それぞれの文字部分の横方向中央を同じ位置にそろえ、下段の文字部分中の上段の文字部分と重ならない部分がその前後端で同じ長さとなるようにし、全体に上下段の文字部分がまとまりよく配置されていることが認められる。
上記態様等に照らすと、使用商標は、上下２段に表されているとしても、その全体が外観において極めて緊密な一体性を有しているものというべきである。他方、本件クリームのパンフレット（甲第７号証）の記載によれば、本件クリームの成分は、アロエベラ（ALOE VERA）にホホバオイル（JOJOBA OIL）を配合したものであることが認められるが、上記使用商標の態様に照らして、これに接した取引者、需要者が、「ALOE」の文字部分が本件クリームの原材料表示であると理解し、下段の「MAGIC」の文字部分のみを独立した商標として認識するとするのは極めて不自然である。したがって、使用商標は、原材料に由来する「ALOE」の語と「魔法」を意味する「MAGIC」の語とを組み合せた「ALOE MAGIC」との造語によって表されたものであって、全体として１個の商標を構成するものと認めるのが相当である。
なお、原告は、使用商標において自他商品識別機能を果たすのは「MAGIC」の文字部分であるとも主張するが、上記使用商標の態様に照らし、また、「ALOE MAGIC」の文字が「アロエマジック」と一連によどみなく称呼し得ることにかんがみて、使用商標においては「ALOE MAGIC」の文字全体に自他商品識別機能があるものと認めるのが相当であるから、原告の上記主張は採用することができない。

そして、本件商標はその構成に応じて「マジック」の称呼及び「魔法」の観念を生ずるものと認められるが、使用商標は、上記のように「アロエマジック」の称呼を生じ、また、特定の具体的観念は生じないと認められるほか、本件商標と外観において顕著に異なるものであることは明らかであるから、使用商標が本件商標と社会通念上同一と認められる商標であるとはいえない。

したがって、本件商標の指定商品に使用商標を用いたとしても、指定商品についての本件商標の使用をしたことに当たるということはできない。

(2) 原告は、さらに、本件商標について通常使用権を有するピカソ美化学が、「LIP MAGIC」の商標を使用して本件商標の指定商品である口紅を、また、「MAGIC COLOR」の商標を使用して本件商標の指定商品であるアイシャドウを、それぞれ予告登録日前3年以内に日本国内において販売したところ、「LIP MAGIC」及び「MAGIC COLOR」の各商標は、本件商標と社会通念上同一と認められる商標というべきであると主張するので、この点について検討する。。

(ア) 製造元をピカソ美化学、発売元を株式会社ジュテームとする口紅の外箱の写真2葉（甲第2号証の1、第9号証の1）によれば、同外箱の長方形状の1面に「JE T'AIME」の欧文字と「LIP MAGIC」の欧文字とを上下2段に横書きした商標が付されていること、そのうちの「LIP MAGIC」の文字部分は、「JE T'AIME」の文字部分と色彩が異なり、また、構成文字の大きさが小さく表されていること、さらに、「LIP MAGIC」の文字部分のみについて見るに、そのうちの「LIP」の文字部分を構成する各文字が「MAGIC」の文字部分を構成する各文字のおおむね3分の1の横幅であるものの、「LIP MAGIC」の文字部分全体として、各文字が書体及び色彩を同じくしてまとまりよく配置されていることが認められる。

そうすると、構成文字の大きさ及び色彩の相違並びに「JE T'AIME」の語がフランス語であるのに対し「LIP MAGIC」の語が英語であることによって、仮に、「LIP MAGIC」の文字部分が「JE T'AIME」の文字部分から独立した別個の商標であるとしても、「LIP MAGIC」の文字部分の上記態様に照らして、その部分全体が1個の商標を構成するものと認められる。なお、原告は、「LIP MAGIC」の商標の「LIP」の文字部分が商品の用途を表示するものであって、自他商品識別機能を果たすのは「MAGIC」の文字部分であると主張するが、「LIP MAGIC」の文字部分の上記態様に照らし、また、「LIP MAGIC」の文字が「リップマジック」と一連によどみなく称呼し得ること等にかんがみて、当該商標は、用途に関連する「LIP」の語と「魔法」を意味する「MAGIC」の語とを組み合せた「LIP MAGIC」との造語によって表されたものであって、「LIP MAGIC」の文字全体に自他商品識別機能があるものと認めるのが相当であるから、原告の上記主張は採用することができない。

そして、「LIP MAGIC」の商標は、上記のように「リップマジック」の称呼を生じ、また、特定の具体的観念は生じないと認められるから、本件商標と称呼及び観念において異なるものであり、そうすると、「LIP MAGIC」の商標が本件商標と社会通念上同一と認められる商標であるとはいえない。

したがって、本件商標の指定商品に「LIP MAGIC」の商標を用いたとしても、指定商品についての本件商標の使用をしたことに当たるということはできない。

(イ) 製造元をピカソ美化学、発売元を株式会社ジュテームとするアイシャドウの容器及び外箱の写真2葉（甲第3号証の1、第10号証の1）によれば、同外箱の長方形状の1面に「MAGIC COLOR」の欧文字を横書きした商標が付されていること、その構成文字は、大きさ、書体及び色彩が同一でまとまりよく配置されていることが認められ、その態様に照らすと、「MAGIC COLOR」の文字全体が1個の商標を構成するものと認められる。なお、原告は、「MAGIC COLOR」の商標の「COLOR」の文字部分が商品の機能を表示するものであって、自他商品識別機能を果たすのは「MAGIC」の文字部分であると主張するが、「MAGIC COLOR」の文字の上記態様に照らし、また、それが「マジックカラー」と一連によどみなく称呼し得ること等にかんがみて、当該商標は、「魔法」を意味する「MAGIC」の語と機能に関連する「COLOR」の語とを組み合せた「MAGIC COLOR」との造語によって表されたものであって、「MAGIC COLOR」の文字全体に自他商品識別機能があるものと認めるのが相当であるから、原告の上記主張は採用することができない。

そして、「MAGIC COLOR」の商標は、上記のように「マジックカラー」の称呼を生じ、また、特定の具体的観念は生じないと認められるから、本件商標と称呼及び観念において異なるものであり、そうすると、「MAGIC COLOR」の商標が本件商標と社会通念上同一と認められる商標であるとはいえない。
したがって、本件商標の指定商品に「MAGIC COLOR」の商標を用いたとしても、指定商品についての本件商標の使用をしたことに当たるということはできない。
(3) 以上によれば、本件商標は、予告登録日前３年以内に日本国内において、通常使用権者であるピカソ美化学により指定商品につき使用されていたものであるとの原告主張は、その余の点につき判断するまでもなく、採用することができない。
２　取消事由２（連合商標の使用）について
本件商標に係る商標登録原簿写し（甲第５号証）並びに関連商標に係る商標登録原簿写し（甲第１３号証）及び公告公報（甲第１４号証）によれば、関連商標は、「MAGIC」の欧文字と「マヂック」の片仮名文字を上下２段に横書きしてなるものであって、本件商標と関連商標とは、８年改正法による商標法の改正によって廃止される前の連合商標（同改正前の同法７条）の関係にあったことが認められる。そして、原告は、関連商標について通常使用権を有するピカソ美化学が、予告登録日前３年以内であって、かつ、平成９年３月３１日（８年改正法の施行日の前日）までの間に、日本国内において、使用商標を用いて本件審判請求に係る指定商品である本件クリームを販売したところ、使用商標は関連商標と社会通念上同一と認められる商標というべきであると主張するので、この点について検討する。
使用商標が、原材料に由来する「ALOE」の語と「魔法」を意味する「MAGIC」の語とを組み合せた「ALOE MAGIC」との造語によって表されたものであって、全体として１個の商標を構成するものであり、また、「アロエマジック」の称呼を生じ、特定の具体的観念は生じないと認められることは、上記１の(1)のとおりである。そして、関連商標はその構成に応じて「マヂック」の称呼及び「魔法」の観念を生ずるものと認められるから、使用商標は、関連商標と称呼及び観念を異にするものであって、使用商標が関連商標と社会通念上同一と認められる商標であるということはできない。
なお、平成１１年審判第３０３２３号事件の審決謄本（甲第１５号証）によれば、同審決は、使用商標が関連商標と社会通念上同一であると判断したことが認められるが、この判断は是認することができない。
したがって、本件商標の指定商品に使用商標を用いたとしても、本件審判請求に係る指定商品についての関連商標の使用をしたことに当たるということはできないから、本件商標と連合商標の関係にあった商標が、予告登録日前３年以内であって連合商標制度の廃止までの間に日本国内において、その通常使用権者であるピカソ美化学により本件商標の指定商品につき使用されていたとの原告の主張は、その余の点につき判断するまでもなく、採用することができない。
３　以上のとおりであるから、原告主張の審決取消事由は理由がなく、他に審決を取り消すべき瑕疵は見当たらない。
よって、原告の請求を棄却することとし、訴訟費用の負担につき行政事件訴訟法７条、民事訴訟法６１条を適用して、主文のとおり判決する。

東京高等裁判所第１３民事部

裁判長裁判官　篠　原　勝　美

裁判官　石　原　直　樹

裁判官　宮　坂　昌　利

## ★事例6

主　　　文

本件上告を棄却する。

上告費用は上告人の負担とする。

理　　　由

上告代理人仁木立也、同鈴木茂、同江口俊夫の上告理由第一点について。

商標の類否は、対比される両商標が同一または類似の商品に使用された場合に、商品の出所につき誤認混同を生ずるおそれがあるか否かによつて決すべきであるが、それには、そのような商品に使用された商標がその外観、観念、称呼等によつて取引者に与える印象、記憶、連想等を総合して全体的に考察すべく、しかもその商品の取引の実情を明らかにしうるかぎり、その具体的な取引状況に基づいて判断するのを相当とする。

ところで、本件出願商標は、硝子繊維糸のみを指定商品とし、また商標の構成のうえからも硝子繊維糸以外の商品に使用されるものでないことは明らかである。従つて、原判決が、その商標の類否を判定するにあたり、硝子繊維糸の現実の取引状況を取りあげ、その取引では商標の称呼のみによつて商標を識別し、ひいて商品の出所を知り品質を認識するようなことはほとんど行なわれないものと認め、このような指定商品に係る商標については、称呼の対比考察を比較的緩かに解しても、商品の出所の誤認混同を生ずるおそれがない旨を判示したのを失当ということはでき

－1－

ない。論旨は、これに対して、原判決は商号取引一般の経験則を商標の類否の判断に適用する過誤をおかしたものと非難するが、原判決は、硝子繊維糸の取引において、商標が商品の出所を識別する機能を有することを無視したわけではなく、そこには商標の称呼の類似から商品の出所の混同を生ずるというような一般取引における経験則はそのままには適用しがたく、商標の称呼は、取引者が商品の出所を識別するうえで一般取引におけるような重要さをもちえない旨を判示したものにほかならない。論旨は原判示を正解しないものというべきである。

また論旨は、硝子繊維糸取引の実情に関する原判示をもつて、それは実験則といえるほどの普遍性も固定性もないもので、新製品開発当初の特殊事情に基づく過去の一時的変則的な取引状況のように主張するが、原判決がその挙示の証拠および弁論の全趣旨によつて適法に認定したところは、本件出願商標の出願当時およびその以降における硝子繊維糸の取引の状況であつて、かつ、それが所論のように局所的あるいは浮動的な現象と認めるに足りる証拠もない。所論によつては本件出願商標の登録を拒否しえないものといわなければならない。

なお論旨は、原判決は撤回された被上告人の主張と証拠に基づき硝子繊維糸の取引の実情を認定した違法があるというが、本件記録を精査するも、それが撤回されたものとは認められない。

論旨は、いずれも採用できない。

同第二点および第三点について。

－2－

商標の外観、観念または称呼の類似は、その商標を使用した商品につき出所の誤認混同のおそれを推測させる一応の基準にすぎず、従つて、右三点のうちその一において類似するものでも、他の二点において著しく相違することその他取引の実情等によつて、なんら商品の出所に誤認混同をきたすおそれの認めがたいものについては、これを類似商標と解すべきではない。

本件についてみるに、出願商標は氷山の図形のほか「硝子繊維」、「氷山印」、「日東紡績」の文字を含むものであるのに対し、引用登録商標は単に「しようざん」の文字のみから成る商標であるから、両者が外観を異にすることは明白であり、また後者から氷山を意味するような観念を生ずる余地のないことも疑なく、これらの点における非類似は、原審において上告人も争わないところである。そこで原判決は、上記のような商標の構成から生ずる称呼が、前者は「ひようざんじるし」ないし「ひようざん」、後者は「しようざんじるし」ないし「しようざん」であつて、両者の称呼がよし比較的近似するものであるとしても、その外観および観念の差異を考慮すべく、単に両者の抽出された語音を対比して称呼の類否を決定して足れりとすべきでない旨を説示したものと認められる。そして、原判決は、両商標の称呼は近似するとはいえ、なお称呼上の差異は容易に認識しえられるのであるから、「ひ」と「し」の発音が明確に区別されにくい傾向のある一部地域があることその他諸般の事情を考慮しても、硝子繊維糸の前叙のような特殊な取引の実情のもとにおいては、外観および観念が著しく相違するうえ称呼においても右の程度に区別できる両商標をとりちがえて商品の出所の誤認混同を生ずるおそれは考えられず、両者は非類似と解したものと理解することができる。原判決が右両者は称呼において類似するものでない旨を判示した点は、論旨の非難するところであるが、硝子繊維糸の取引の実情に徴し、称呼の対比考察を比較的緩かに解して妨げないこと前叙のとおりであつて、この見地から右の程度の称呼の相違をもつてなお非類似と解したものと認められる右判示を、あながち失当というべきではない。

論旨は、なお原判決が硝子繊維糸は商標の称呼のみによつて取引されることがほとんどでないと認定したことおよび本件出願商標と引用登録商標の類否は単に両者の称呼の語音を抽出対比して決するだけでは足りるものでない旨を判示したことは、両商標の称呼自体も類似しないとする判断を支持する理由となるものではなく、却つて相反撥矛盾するものと論ずる。しかし、所論の点について原判決の説く趣旨は、すべて前叙のとおりであつて、そこにはもとより理由齟齬の違法も認められない。

論旨は、いずれも理由がない。

よつて、民訴法四〇一条、九五条、八九条に従い、裁判官全員の一致で、主文のとおり判決する。

最高裁判所第三小法廷

裁判長裁判官　　横　田　正　俊

裁判官　　田　中　二　郎

裁判官　　下　村　三　郎

裁判官　　松　本　正　雄

裁判官　　飯　村　義　美

－ 4 －

## ★事例7

主　　文

原判決を破棄する。

本件を東京高等裁判所に差し戻す。

理　　由

上告代理人山本忠雄、同秋友浩の上告理由について

一　原審の確定した事実関係は次のとおりである。

1　上告人は、昭和五八年一二月八日商標登録出願、同六一年四月二三日設定登録、指定商品を第四類「せっけん類、歯みがき、化粧品、香料類」とする登録第一八五六八九九号の商標権（以下「本件商標権」といい、その登録商標を「本件商標」という。）を有している。本件商標は、「大森林」の漢字を楷書体で横書きした文字から成る。

2　被上告人は、化粧品等の製造販売を業とするが、頭皮用育毛剤及びシャンプー（以下「被上告人商品」という。）に、第一審判決別紙標章目録記載の各標章（以下「被上告人標章」という。）を付して販売し、また、広告宣伝に被上告人標章を付している。被上告人標章は、「木林森」の漢字を行書体で縦書き又は横書きした文字から成る。

原審は、右事実関係の下において、被上告人標章は、外観、称呼及び観念のいずれについてみても本件商標に類似するものではなく、また、これらを総合して考察しても、被上告人標章は本件商標に類似するものではないと認定判断し、被上告人標章が本件商標に類似することを前提として被上告人商品の製造販売の差止め等を求める上告人の本訴請求を棄却した第一審判決に対する上告人の控訴を棄却した。

二　しかしながら、原審の右判断は是認することができない。その理由は、次のとおりである。

1　商標の類否は、同一又は類似の商品に使用された商標がその外観、観念、称呼等によって取引者に与える印象、記憶、連想等を総合して全体的に考察すべきであり、しかもその商品の取引の実情を明らかにし得る限り、その具体的な取引状況に基づいて判断すべきものであって（最高裁昭和三九年（行ツ）第一一〇号同四三年二月二七日第三小法廷判決・民集二二巻二号三九九頁参照）、綿密に観察する限りでは外観、観念、称呼において個別的には類似しない商標であっても、具体的な取引状況いかんによっては類似する場合があり、したがって、外観、観念、称呼についての総合的な類似性の有無も、具体的な取引状況によって異なってくる場合もあることに思いを致すべきである。

2　本件についてこれをみるのに、**本件商標と被上告人標章とは、使用されている文字が「森」と「林」の二つにおいて一致しており、一致していない「大」と「木」の字は、筆運びによっては紛らわしくなるものであること、被上告人標章は意味を持たない造語にすぎないこと、そして、両者は、いずれも構成する文字からして増毛効果を連想させる樹木を想起させるものであることからすると、全体的に観察し対比してみて、両者は少なくとも外観、観念において紛らわしい関係にあることが明らかであり、取引の状況によっては、需要者が両者を見誤る可能性は否定できず、ひいては両者が類似する関係にあるものと認める余地もあるものといわなければならない。**

3　原審は、観念による類否について説示するに当たり、本件商標及び被上告人標章が付されている頭皮用育毛剤等の需要者は育毛、増毛を強く望む男性であるところ、かかる需要者は当該商品に付された標章に深い関心を抱き、注意深く商品を選択するものと推認されるなどとしているのであるが、必ずしも右のような需要者ばかりであるとは断定できないこと

－1－

は経験則に照らして明らかであるし、上告人は、本件商標権について通常使用権を許諾し、通常使用権者は薬用頭皮用育毛料に本件商標を付してその関連会社に販売させていると主張しているのであるから、この主張事実から現れる可能性のある商品の取引の状況も勘案した上、本件商標と被上告人標章との類否判断がされなければならない。したがって、原審がした右の推認事実のみをもってしては、両者が類似しないとする理由として十分でないといわざるを得ない。原審は、右のほかに、本件商標が使用される指定商品の想定可能な取引の状況及び被上告人標章が使用された被上告人商品について現に行われている取引の状況を考慮しても、両者は観念において類似するものと認めることはできないとしたのみであり、被上告人商品が訪問販売によっているのかあるいは店頭販売によっているのか、後者であるとしてその展示態様はいかなるものであるのかなどの取引の状況についての具体的な認定のないままに、本件商標と被上告人標章との間の類否を認定判断したものであって、原判決には、判決に影響を及ぼすことが明らかな法令の解釈適用の誤りないしは理由不備の違法があるというべきである。

三　よって、右の点をいう論旨は理由があり、原判決は破棄を免れず、本件については、更に審理を尽くさせるため原審に差し戻すこととし、民訴法四〇七条一項に従い、裁判官全員一致の意見で、主文のとおり判決する。

最高裁判所第三小法廷

裁判長裁判官　園部逸夫
裁判官　坂上壽夫
裁判官　貞家克己
裁判官　佐藤庄市郎
裁判官　可部恒雄

－2－

■コラム1

## ３年間一度も使っていない商標は取り消せる

### 1．不使用登録商標の取消制度

先行する気になる他人の登録商標があった場合、これと同一または類似の商標を使用できるようにするためには、その登録を取り消してしまうという方法があります。商標法には意匠法や特許法にはない「不使用取消審判」という制度があり、登録商標が継続して３年以上一度も使われていないときには、審判手続によって登録を取り消すことができるのです。これを利用すれば、邪魔な他人の登録商標を排除することができます。自分の商標を積極的に活かすために、この制度について検討してみることにしましょう。

### 2．登録商標の使用実態

平成５年に特許庁と知財研が行った登録商標の使用実態調査によりますと、現に使われている登録商標の割合は、全体の30％程度にすぎず、実にその70％は使われていないという結果がでています。また、登録商標が使われていたとしても、実際に使っているのは指定商品（または役務。以下同じ）中のごく一部であって、残りの多くはほとんど使われていないという現実があります。出願する際に同一区分（類）内の商品はすべて指定できますから、出願人の心理としては、幅広く指定しておいてストック的に権利化しておきたいと考えるのはむしろ当然かもしれません。さらに登録商標と実際に使用している商標が微妙に異なっていることもよくあります。登録商標と使用商標が違っていると登録商標の使用とは認められません。

### 3．使うことに意義がある商標

このように、多くの登録商標が使用されているとはいえないこと、使われていたとしても登録商標の使用とは認められないことがあることなどから、先行する気になる他人の登録商標があったとしても、それだけですぐにあきらめる必要はありません。不使用取消審判制度を利用して、使われていない邪魔な登録商標を取り消してしまいましょう。商標は使うことに意義がありますから、見ず知らずの者に登録を取り消されたとしても、使いもしない商標を整理することは、奨励されこそすれ非難されるいわれはないはずです。

### 4.「Magic」事件

実際に使われていた商標が、登録商標の態様とは違っていたために問題となった事件を紹介します。

X（原告；審判被請求人）は化粧品に「Magic」を商標登録していました。Y（被告；審判請求人）は、Xの「Magic」は使われていないとして、特許庁に不使用取消審判を請求しました。特許庁は、Yの請求を認めてXの「Magic」の登録を取り消す旨の審決をしましたが、Xはこれを不服として東京高裁に審決取消訴訟を提起しました。結論は、裁判所もまたXは「Magic」を使用しているとは認められないとして、「Magic」の登録は取り消されてしまいました。

### 5.「Magic」の使用態様

登録した「Magic」を、登録商標の態様のまま使っていれば問題ありませんが、実際に使っていた商標は「ALOE MAGIC」で、「ALOE」と「MAGIC」を上下２段に横書きしていました。「ALOE」の部分は原材料表示であって、識別機能をはたすのは「MAGIC」であり、Xは「Magic」に通常使用権を許諾し、その使用権者が「ALOE MAGIC」の表示で化粧品を販売していましたから、Xは「Magic」を使用していると主張しました。

| 登録商標 | 使用商標 |
|---|---|
| 「Magic」 | 「ALOE<br>MAGIC」 |

### 6．裁判所の判断

裁判所は、「ALOE」と「MAGIC」が２段に表示されているとしても、「その全体が外観において極めて緊密な一体性を有している」と評価し、称呼においても「ALOE MAGIC」は「アロエマジック」と一連によどみなく称呼し得るとして、「ALOE MAGIC」の文字全体に自他商品識別機能があると述べ、登録商標の「Magic」を使用しているとは認めませんでした。

### 7．社会通念上の同一

「ALOE MAGIC」が使用されているからといって、登録商標の「Magic」が使用されているとはいえないとしたわけですが、その理由は「社会通念上同一」ではない、というものです。登録商標と使用商標が異なっている場合、どこまでが登録商標の使用と認められるかは、社会通念上同一といえるかどうかで決まります。裁判所が採った同一性の認定手法は「類似」ではなく、「社会通念上同一」であることに注意すべきでしょう。

平成８年の商標法改正の際に、社会通念上同一の商標の具体例が公表されていますので、その一部を以下に紹介します。

■登録商標の使用と認められる事例

⑴ 書体のみに変更を加えた同一の文字からなる商標

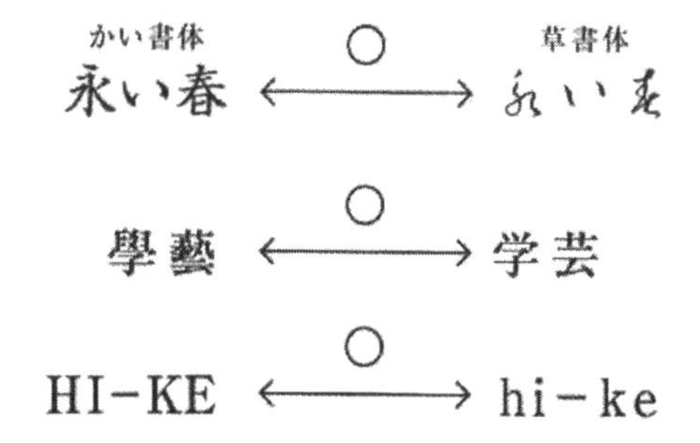


⑵ 平仮名、片仮名およびローマ字を相互に変更するものであって、同一の称呼および観念を生ずる商標

ちゃんぴおん ←○→ チャンピオン

ラブ(らぶ) ←○→ love　[愛]

⑶ 外観において同視される図形からなる商標

⑷ その他、社会通念上同一と認められる商標

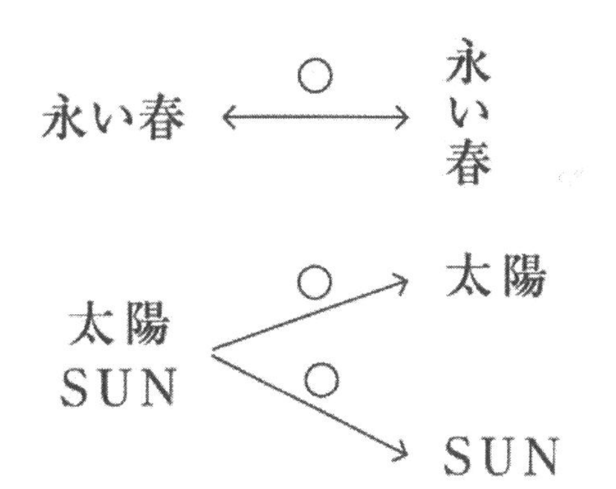


（２段併記のときに上下で観念同一、その一方での使用）

■登録商標の使用と認められない事例

⑴ 平仮名および片仮名とローマ字の相互間の使用

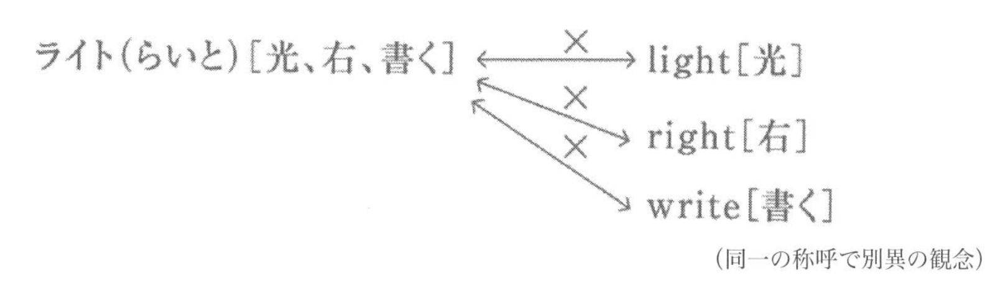


（同一の称呼で別異の観念）

⑵ その他、社会通念上同一と認められない商標

（一定の観念を生ずる文字と字形）

### 8．不使用取消審判の積極的利用

不使用取消審判は利害関係がなくても誰でも請求することができます。取消を免れるためには、取消を請求された商標権者側が、登録商標を指定商品に使っていたことを証明しなければなりません。商標権者から使用許諾を受けた者が使用した事実でもよく、本件でも、Xは通常使用権者が使用していたと主張しました。

以上のケースから、取消要件は結構厳しいとお感じになるのではないでしょうか。裏を返せば、取消は比較的容易ということになります。

以上のように、気になる他人の登録商標があったとしても、その登録商標が継続して３年以上一度も使われていないときには、この制度を利用して登録を取り消せば、同じ商標を自社製品に使用できるようになります。また商標は、意匠のようにいったん公知になると新規性を失って拒絶されるということはありませんので、これを出願すれば商標権を取得できる可能性が出てきます。取消を請求された商標権者側は、実際に使用していなければ証明することができないのですから、この制度は邪魔な他人の登録商標を排除できる強力な武器となるでしょう。

万一登録商標が使用されていたとしても、指定商品中に使われていない商品はないか、使用商標が登録商標と社会通念上同一ではないと認められる余地はないかなど、検討してみる価値はあるのではないでしょうか。

〈「Magic」事件 H13.6.27 東京高判 H12（行ケ）422〉

※「継続して３年以上」不使用とは、①商標権の設定の登録の日から３年以上不使用のとき、②設定登録後いったんは使用したがその後中断して３年以上不使用のとき、があたる。したがって、登録日から３年経っていない間は取り消されることはないし、３年間のうち一度でも使用の事実があれば取消は免れる。

# 第10講　不正競争防止法による商標の保護

## ■商標法と不正競争防止法

・商標を保護する法律として商標法の他に不正競争防止法がある。商標法は商標を登録して商標権を発生させ、この権利に基づいて保護するのに対し、不正競争防止法は登録は無関係で、権利として構成せず、不正な行為（周知表示混同惹起行為、著名表示冒用行為等）から保護するものである。両者は保護の方法が違うだけで、侵害行為を差し止めることができる点において目的はほぼ同じである。２つの制度の相互補完によって商標保護の万全を図っている。

## ■知的財産法・不正競争防止法・独占禁止法

・市場の独占、寡占化を防ぎ、自由競争を可能とするために不公正な取引方法等を規制する法律に独占禁止法（以下「独禁法」）があり、不正な競業行為を規制して経済システムの秩序維持を図る法律に不正競争防止法がある。そして知的財産法は民法とともに物（有体物および無体物）の生産と流通を柱とする経済活動を支える法律といえるから、独禁法、不正競争防止法、知的財産法は、資本主義経済システムを支える基盤といえる。

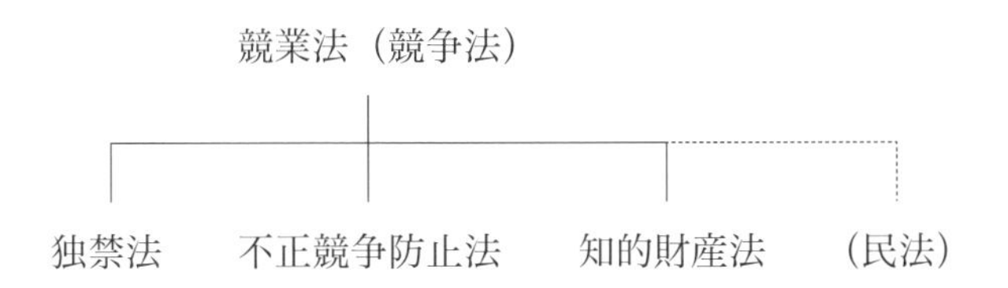


・独禁法、不正競争防止法、知的財産法は、競業法として経済システムを支える３本柱である。

※競業……………………営業における競争

独禁法………………市場の独占や不公正な取引方法を規制する経済システムの構造に

関わる法

不正競争防止法……不正競争を規制して経済システムの秩序維持を図る法
知的財産法…………経済システムを支える価値ある無体財産に独占権を付与する法

■ 不正競争防止法の体系的地位

・不正競争防止法は、工業所有権の保護に関する国際的枠組みであるパリ条約で、工業所有権法（産業財産権法）に属するものとしていることから、知的財産法の仲間とされている。しかし、不正競争防止法は行為規制法であって、財産保護法ではない。したがってこれを知的財産法として理解することは困難である。しかし不正競争によって営業上の利益を侵害され、または侵害されるおそれがある者に差止請求を認めており、結果的に、独占権を付与する知的財産権と共通するため、知的財産法の仲間として扱われている。
・知的財産法も競業法の１つとしてとらえると、不正競争防止法は知的財産法から独立した一分野であり、独禁法とともに競業法として、資本主義経済システムの一角をになう法律とみることができるが、本講座では、通例に従って、不正競争防止法を知的財産法として扱う。

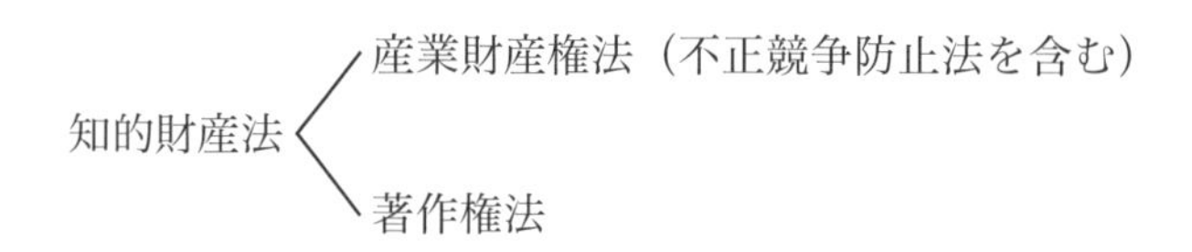


■ 不正競争防止法の全体像（全40条）　※数字は不正競争防止法の条数を示す

１．不正競争防止法の目的１ ─ 事業者間の公正な競争／国際条約の実施を確保 ─→国民経済の発展に寄与

２．不正競争行為類型（２条１項１号～22号）※不正競争行為を限定列挙（一般条項を設けていない）

１．周知表示混同惹起行為2-1-1

　2．著名表示冒用行為2-1-2
　3．商品形態模倣品譲渡行為2-1-3
　4．営業秘密不正取得行為2-1-4～10
　5．限定提供データ不正取得行為2-1-11～16
　6．コンテンツ技術的制限手段解除行為2-1-17～18
　7．ドメイン名不正取得行為2-1-19
　8．原産地・品質等誤認惹起行為2-1-20
　9．競争者営業誹謗行為2-1-21
　10．外国商標権者代理人等商標冒用行為2-1-22

3．条約上の禁止行為
　1．外国国旗商業上使用禁止16
　2．国際機関標章商業上使用禁止17
　3．外国公務員不正利益供与禁止18

4．民事上の救済
　・差止請求3
　・損害賠償請求4
　・信用回復措置請求14

5．刑事罰21、22

6．適用除外（不正競争とならない行為）19-1　※商品等表示関連のみ記載
・商品や営業の普通名称、慣用表示の使用（1号）
・自己の氏名の不正の目的でない使用（2号）
・コンセントによって登録された商標の不正の目的でない使用（3号）
・周知、著名性獲得以前からの先使用（4、5号）
・商品形態模倣品の日本で最初に販売された日から3年を経過した商品（6号イ）
・商品形態模倣品の善意取得者（6号ロ）

■不正競争防止法概要

・営業の自由は、憲法の職業選択の自由の一部として保障されている基本的人権の１つである（憲法22条１項)。今日のような高度に発達した経済社会は、この営業の自由と財産権の保障の下で、事業者が自由で活発な競争を展開してきた成果であるといえよう。
・自由といっても、何をしてもよいというわけではない。競争である以上、そこには一定のルールが必要である。フェアプレイの原則に従った公正な競争が行われなければならない。
・不正競争防止法は文字通り「不正」な「競争」を防止する法律である。民法不法行為の延長線上にあるが、不正競争行為に対して差止めを認めているところに特徴がある。これに対し商標法は、商標権という「権利」に基づいて差止めを認めている。不正競争防止法は「権利」ではない。あくまで「行為」規制であって、保護の方法が異なる。
・何が不正競争行為にあたるかについて不正競争防止法は、あらかじめどのようなタイプの不正競争にも対応できるような条項、すなわち「一般条項」を設けずに、不正競争にあたる行為を限定列挙する方式をとっている。現在10に類型化され規定されている（２条１項１～22号)。
・昭和９年にパリ条約ヘーグ改正の内容を実施するため急遽できあがった法律で、わずか全６条しかないミニローであった。不正競争としては、①周知商品表示の混同、②原産地の誤認、③商品に対する誹謗の３種のみであり、刑事罰はなかった。長い間無視されてきたが、平成２年に営業秘密が、同５年には著名表示冒用行為と商品形態模倣行為が加わり、ひらがな表記になって全面改正された。同13年にはドメイン名不正取得行為が新設されている。
・旧法時代は商品表示、営業表示といった表示の模倣行為が中心の法だったために、商標法とともに標識法の一角を担う法律といわれてきた。しかし営業秘密が入り性格が大きく変わった。営業秘密は出願すれば特許権を得られるかもしれず、特許法の性格も持ち合わせている。また商品形態は意匠法の対象ともなる。このように創作法といわれるものも入ってきたために、不正競争防止法は標識法の仲間というより知的財産法の一般法の性質を帯びるに至っている。特許権や商標権の権利行使を優先的に行って、登録がない場合には不正競争防止法による保護を求めることができる（重複適用）。

・登録して保護するか、行為規制かという違いはあるが、規制の手法が違うだけで、他人の行為を止めさせることができるという点では差異がない。訴訟において両者提起しておけば、敗訴リスクの低減が期待できる。不正競争防止法が注目され、不正競争防止法関連の事件が増えている理由の１つには以上のような事情がある。

・不正競争によって営業上の利益を侵害され、または侵害されるおそれのある者に対する民事上の措置として、侵害の停止または予防を請求することができる（３条）。商標法（商標権）に基づく差止請求権と同様、不正行為者の故意過失を要件としないで差止めを認めているところに大きな特徴がある。

・差止請求の主体はあくまで事業者であることに注意。不正競争防止法は、「事業者間の公正な競争」を確保することをその目的としており（１条）、不正競争によって「営業上の利益を侵害され、又は侵害されるおそれがある者」が差止めできるとされている（３条）。原産地や品質内容等の誤認惹起行為（いわゆる産地偽装問題；２条１項20号類型）で迷惑を被るのはわれわれ一般消費者といえるが、消費者は差止請求（消費者訴訟）の主体となっていない。もっぱら不正な競争の防止という観点から事業者同士の問題として解決しようというシステムをとっている。

・不正競争によって損害が発生した場合は、損害賠償を請求することができる（４条）。損害賠償請求は民法不法行為（709条）に基づく請求とほとんど同じであり、故意過失が要件とされる。商標法とちがって過失の推定規定はない。

・不正競争によって信用を害された場合は、損害の賠償に代え、または損害の賠償とともに、新聞への謝罪広告の掲載等、信用を回復するのに必要な措置を請求することができる（14条）。

・刑事上の措置として、不正の目的で周知表示混同惹起行為（２条１項１号）を行った者、他人の著名表示の信用、名声を利用して不正の利益を得る目的で、または信用、名声を害する目的で著名表示冒用行為（２条１項２号）を行った者、不正の利益を得る目的で商品形態模倣品譲渡行為（２条１項３号）を行った者、原産地、商品・役務の質、内容等について誤認させるような虚偽の表示（２条１項20号）を行った者には、刑事罰が科される。５年以下の拘禁刑または500万円以下の罰金である（21条３項)。また、行為者とともに、その者が所属する法人に対しても３億円以下の罰金が科される(22条１項３号)。

・水際規制として、関税法に基づき、特定の不正競争侵害物品（２条１項１〜３号行為を組成する物品）の輸出入を税関で差し止めることも可能である。

■コラム2

## 商標を登録する意義

### 1．商標法と不正競争防止法

商標を保護する制度として、商標法と不正競争防止法という2つの法律があります。商標法は商標を登録して保護し、不正競争防止法は不正な競争行為を規制することによって保護するという違いがあります。

自分の商標を第三者に勝手に使われると、商標法では、商標権が侵害されたとしてその使用を差し止めることができます。一方、不正競争防止法では、営業上の利益が侵害されたとしてその不正行為を差し止めることができます。どちらも差止めすることができるという点において、同様の目的に奉仕する制度だといえますから、どちらか1つあれば目的は達せられることになります。なぜ2つ必要なのでしょうか。商標法と不正競争防止法は車の両輪といわれ、相互補完関係にあるといわれるのは、どちらか1つだけであると保護が不十分だからにほかなりません。そうすると、たとえば不正競争防止法のみしかないとしたら、どのような不都合が生じるか、という観点から考えてみる必要がありそうです。

### 2．登録は無関係の不正競争防止法

商標は登録しなければ使えない、というわけではありません。現に、登録せずに商標を使用している例はたくさんあります。不正競争防止法は登録は関係ありませんから、不正競争防止法で保護されるのなら、わざわざ登録しなくてもよいではないか、と思われるかもしれません。商標を登録するには特許庁に出願をしなければなりませんし、手数料もかかります。審査を受け、それにパスしなければなりませんから、拒絶されるリスクを回避するには事前調査も必要で、結構面倒です。しかし、以下のような事案を検討してみますと、なるほど商標は登録しておくべきだということがお分かりになるのではないでしょうか。

### 3．「勝烈庵」事件

横浜周辺で評判になっている「勝烈庵」というトンカツ料理店があります。しばらくすると大船に「かつれつ庵」の表示で営業する者が現れ、さらに静岡県富士市でも「かつれつあん」が営業を開始しました。どちらも横浜「勝烈庵」とは無関係です。横浜としては、大船、富士市それぞれのトンカツと品質が違うとなれば評判を落とすことになりかねませんから、混同を避けるためにも同じような表示で商売をしてほしくないと思うのは当然でしょう。はたして「勝烈庵」は商標登録をしていませんでしたから、横浜は、大船、富士市の両者に対して不正競争防止法による差止請求訴訟を提起しました。結論から先に言ってしまうと、大船は差し止めることができましたが、富士市は差し止めることができませんでした。なぜでしょうか。

### 4．富士市「かつれつあん」を差し止められなかった理由

不正競争防止法は、周知となった他人の商品表示や営業表示（以下「商標」という）と同一又は類似の商標を使用して混同を生じさせる行為を不正競争とみてその行為を規制するものです。商標を登録していなくても、使用された結果、その商標に一定の信用が蓄積すれば、その信用が蓄積した限度で保護を認めようとする制度ですから、周知にした限度で保護を与えればよいことになります。そのため、商標が知られていること、類似すること、混同のおそれがあること、の３つの要件が課されており、これらを立証しなければなりません。

この３つの要件を「勝烈庵」事件にあてはめてみますと、「勝烈庵」は新聞、雑誌、テレビ等で横浜周辺では知られた存在になっており、大船周辺においても周知であるとされています。商標が類似するか否かについては大船、富士市いずれも称呼（呼び名）は「カツレツアン」ですから、横浜と類似するといってよいでしょう。混同のおそれについては、大船の「かつれつ庵」に入るお客さんは、「ああ、あの横浜の『勝烈庵』が大船にもできたんだ」と誤認して入るかどうかです。そのようなお客さんが少なからずいるとしたら、横浜「勝烈庵」と混同するといってよいでしょう。

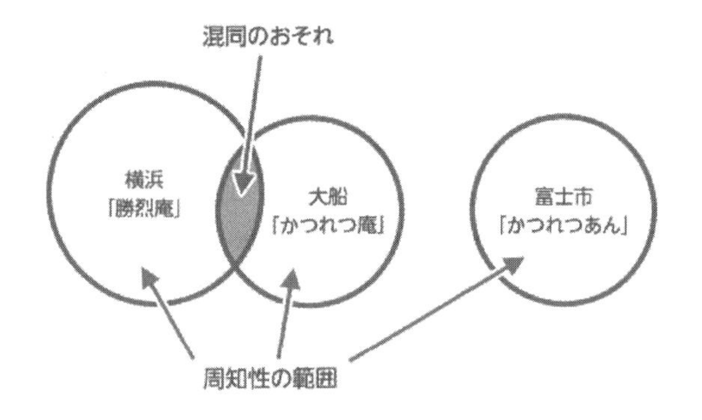


一方の富士市はどうでしょうか。富士市の住民に横浜「勝烈庵」は浸透していないと認定されています。横浜の周知性は富士市には及んでいないというのですから、富士市の「かつれつあん」に入るお客さんは、「ああ、あの横浜の『勝烈庵』が富士市にもできたんだ」と認識して入っているわけではないということになります。そうすると、横浜「勝烈庵」と混同することはなく、富士市を差し止めることはできません。このように、不正競争防止法では、周知性の及ばない範囲で商標を差し止めるには限界があります。

## 5. 富士市「かつれつあん」を差し止めるには

では富士市の「かつれつあん」を差し止めるにはどうしたらよいでしょうか。ここに商標を登録しておく意義があります。商標法は商標を登録して商標権という権利を発生させ、商標を使用する者の業務上の信用を保護する制度です。未だ使用していない商標でも登録は可能で、使用されていない商標権に基づく差止請求も可能です（ただし決して使用しなくてもよいということではありません）。商標権侵害を問うには、商品または役務と商標の「類似」のみが問題とされるのであって、不正競争防止法のように「周知」や「混同のおそれ」の要件は課されておりません。しかも商標権の効力は日本全国に及びますから、「勝烈庵」を商標登録さえしておけば、富士市も差し止めることができたと考えられます。「勝烈庵」が横浜周辺のみならず、たとえば全国的規模でのフランチャイズチェーンを展開しようとするような場合には、商標法でなければ十分な保護を受けることができません。このようにみてきますと、商標は是非とも登録しておくべきなのではないでしょうか。

「勝烈庵」は昭和50年代の事件で、インターネットが普及した現在においては、周知性の及ぶ範囲は当時と同じではないかもしれません。また、サービスマークの登録制度導入以前のことですので、「勝烈庵」を商標登録するには無理があったかもしれませんが（現在はもちろん可能）、不正競争防止法と商標法の違いを理解するには格好の事案といえましょう。〈「勝烈庵」事件 S58.12.9横浜地判 S56（ワ）2100〉

# 第11講　商標の不正競争行為

■商品等表示に関する主な不正競争行為

## 1. 周知表示混同惹起行為（不正競争防止法２条１項１号）

・他人の業務に係る商品等表示（商品表示または営業表示）として需要者の間に広く認識されている商品等表示（いわゆる周知表示）と同一または類似の表示を使用して、他人の商品または営業と混同を生じさせる行為である。

・商品または営業を表示するものであれば、商標はもちろん、商号、氏名、商品の形態、商品の包装等も含まれる。芸名（「高知東急」事件 H10.3.13 東京地判 H9（ワ）3024）や学校名（「呉青山学院中学校」事件 H13.7.19 東京地判 H13（ワ）967）も営業表示である。商品表示、営業表示である以上、商品主体や営業主体を識別できることが必要である。

・商標法の場合、商標は使用される商品役務による縛りがあるが、不正競争防止法ではどのような商品や役務に使用しているかは問題とならない。表示のみが問題となる。

・商標法においては、現実に使用していない商標でも使用の意思があれば登録は認められ、商標および商品役務が「類似」することのみで侵害を問えるが、不正競争防止法では、表示が「周知」であり、「類似」し、「混同」のおそれのあることの３要件が必要である。登録を要件とすることなく保護されることから、登録に代わる保護要件として、現実に使用されて信用が蓄積されている表示につき、類似の表示を排除することを認めるに足るだけ広く知られていることが要求されている。周知性は、一狭小地域でも足りるとされる（「勝烈庵」事件 S58.12.9 横浜地判 S56（ワ）2100）。

・他人の商品等表示が周知となる以前からの不正の目的でない使用（先使用）、自己の氏名の不正の目的でない使用、普通名称等の普通に用いられる方法での使用、コンセントによって登録された商標の不正の目的でない使用の場合には適用が除外される（19条１項１～４号）。

## 2．著名表示冒用行為（不正競争防止法２条１項２号）

・他人の著名な商品等表示と同一または類似の表示を、自己の商品等表示として使用する行為である（1号との違いに注意）。

・著名表示には、長年の企業努力によって獲得した信用、名声が蓄積している。ブランドとして良質なイメージと多大な顧客吸引力を持つ。それを第三者が自己の商品等表示として使用することは、その顧客吸引力にただ乗り（freeride）する行為であり、顧客吸引力の希釈化（dilution）を招く。使用される商品や営業の粗悪性によっては著名表示の名声、イメージの汚染（pollution）を引き起こすおそれもある。そこで、混同を要件とすることなく、表示が類似することのみで適用される。直接冒用行為からの保護を図ったもの。表示は著名、すなわち全国周知であることが必要である。1号と同様、適用除外規定がある（19条1項1～3号、5号）。

・著名表示については、従来1号を解釈適用してきたが、業種があまりにもかけ離れていると、混同は生じないのではないかと思われ、1号の混同要件を広く解釈しても限界があった（広義の混同）。そこで平成5年に1号とは別に新設されたものである。

## 3．商品形態模倣品譲渡行為（不正競争防止法２条１項３号）

・他人の商品の形態（デジタル空間上の商品の形態を含む）を模倣した商品を譲渡等する行為である。時間と費用をかけて作り出した商品の外形（デザイン）をそのままコピーした商品の販売を不正競争とする。「製造」は要件とされていないことに注意。製造が禁止されないのは、市場に流通する局面において規制するのが不正競争防止法の守備範囲だからとされる。

・「商品の形態」とは、通常の使用に際して知覚によって認識することができる商品の外部および内部の形状、模様、色彩、光沢、質感をいう（２条４項）。意匠法上の意匠の定義との違いに注意（意匠法２条１項参照）。

・「模倣」とは、他人の商品の形態に依拠してこれと同一または実質的同一のものを作り出すこと、いわゆるデッドコピーである（２条５項）。

・商品の外形のみが問題とされ、性能や機能は問題とされない。しかし技術的にはどうしてもその形になってしまうものがあるから、機能を確保するために不可欠な形態は除かれる。技術的な形状が新規性、進歩性を備えていれば特許や実用新案として保護されうる。
・商品の形態は意匠登録することが可能であるが、出願をし、審査を経て登録されるまでには時間がかかる。この間に模倣品が出回ると意匠法による保護は望めない。そこでそのような事態に対処するため、権利性は問題とせず、日本国内で最初に販売された日から３年までに限って保護することとしている（19条１項６号イ)。
・３年と限定したのは、販売から３年もすれば商品の開発者はそれに投入した費用の回収を終えるだろうと予測されるからである。先行開発者にとってはその開発費用の回収と収益をあげる期間であり、模倣する者にとっては模倣が禁止される期間である。したがって、開発者はこの間に意匠登録出願をしておくべきで、３年を過ぎたあとは意匠権での保護が期待できる。また、その商品形態が周知となり、識別力を有する商品表示となれば、１号（周知表示混同惹起行為）でも保護される可能性が出てくる。したがって、３年過ぎるまでは商品形態模倣行為（３号）による保護を求め、その間に意匠登録出願をするとともに、販売で大いに努力し、これを周知にして３年を過ぎてからは周知表示混同惹起行為（１号）による保護を求めるのが理想であろう。
・３号の不正競争は、設備投資、販路開拓といった先行投資を冒用行為から保護することが趣旨であり、デザイン自体を保護するわけではない。商品形態模倣規制は平成５年の改正で、日本が世界で初めて導入したものである。

## 4．ドメイン名不正取得行為（不正競争防止法２条１項19号）

・ドメイン名は、インターネット上の住所にあたるもので、ネット通信には不可欠である。ところがドメイン名登録機関への登録方法が申請順で無審査であるため、他人の商標や商号も登録できてしまう。この盲点をついて、他人の商標や商号と同一のドメイン名を先取りし、高額で買い取りを要求する者が続出した（サイバースクワッター)。国際的に問題となり、登録機関はその対策に苦慮し、自主的な紛争処理に乗り出したが、これを規制する法律がなかった。

・不正競争防止法や商標法での保護、規制が考えられるが、ドメイン名は商品または役務に使用するものではないので商標とはいえない。単に登録をして買い取りを請求しただけでは不正競争防止法で救済することは難しい。

・国際的ドメイン名の管理組織であるICANNは自主ルール（統一ドメイン名紛争処理システム；UDRP）を設け、世界知的所有権機関（WIPO）等4団体が紛争処理を開始した。日本でもJPNICがUDRPとほぼ同一の規定を設け、工業所有権仲裁センター（現在日本知的財産仲裁センター）が紛争処理にあたることになった。しかしICANNのUDRPやJPNICの紛争処理は自主ルールであり、当事者に強制力はない。そこで平成13年に、不正競争防止法中にドメイン名不正取得行為を新たな不正競争として追加し、立法的な解決が図られた。したがって現在は、直接不正競争防止法で争うことが可能となっている。

## 5. 原産地・品質等誤認惹起行為（不正競争防止法2条1項20号）

・商品または役務の原産地や品質、内容等について取引上誤信させるような表示（虚偽表示）をする行為である。

・たとえば中国産ウナギに「鹿児島産」と表示する行為がそれにあたる（いわゆる産地偽装）。産地を偽り、水産卸売業者の利益や信用を害するとともに鹿児島産と思いこんで購入した消費者の利益を害することになるので不正競争行為とされる。

・周知表示混同惹起行為や商品形態模倣品譲渡行為と違って、本行為は消費者保護の一面を有している。しかし、消費者が直接差止請求（消費者訴訟）の主体となっていないことに注意。現行法の立場は、競争者の不正な行動が営業者の利益を害するかどうかを問題としており、情報の受け手である消費者は、経済システムから外されている。不正競争防止法を消費者保護法として位置付け、消費者を差止請求の主体として認めることは今後の課題である。

・本号には他に、寄生広告や二重価格表示の問題がある。

〈設問〉

・A社は、自社の香水を、「シャネルの５番」と同じ香りであると宣伝して販売している。しかし、「シャネル」のマークを使用しているわけではなく、自社のマークを表示している。問題はないか。(寄生広告)

・A社は、スーツ１着の価格が50,000円と表示し、あと１着買うと、２着目は1,000円（1,000円足せば２着買える）と表示している。問題はないか。(二重価格表示)

**不正競争防止法２条１項１号と２号の比較**

<table>
<tr><th></th><th>表示の知名度</th><th>表示の範囲</th><th>混同の要否</th><th>不正とされる行為態様</th></tr>
<tr><td rowspan="2">１号</td><td rowspan="2">需要者の間に広く知られている（周知）</td><td rowspan="2">同一又は類似</td><td rowspan="2">他人の商品又は営業と混同を生じさせる</td><td>商品又は営業に使用</td></tr>
<tr><td>使用した商品を譲渡、輸出、輸入、インターネットで提供等</td></tr>
<tr><td rowspan="2">２号</td><td rowspan="2">需要者以外にも全国的に広く知られている（著名）</td><td rowspan="2">同一又は類似</td><td rowspan="2">不要</td><td>自己の商品等表示として使用</td></tr>
<tr><td>使用した商品を譲渡、輸出、輸入、インターネットで提供等</td></tr>
</table>

**不正競争防止法と商標法の比較**

<table>
<tr><td rowspan="2">商標法２条１項</td><td>保護客体</td><td rowspan="2">標章（文字、図形、記号、立体的形状若しくは色彩又はこれらの結合、音その他政令で定めるもの）であって<br>①業として商品に使用するもの<br>②業として役務に使用するもの</td></tr>
<tr><td>商標</td></tr>
<tr><td rowspan="2">不正競争防止法２条１項１号、２号</td><td>保護客体</td><td rowspan="2">人の業務に係る氏名、商号、商標、標章、商品の容器若しくは包装その他の<br>①商品を表示するもの<br>②営業を表示するもの</td></tr>
<tr><td>商品等表示</td></tr>
</table>

| 商標法37条 | 差止要件 | ①商品が同一又は類似<br>　役務が同一又は類似<br>②商標が同一又は類似 |
|---|---|---|
| 不正競争防止法2条1項1号、2号 | 差止要件 | 1号：商品等表示が①周知②同一又は類似③混同のおそれ |
| | | 2号：商品等表示が①著名②同一又は類似 |

**〈商品形態模倣品譲渡行為事件〉**

・Xは、「BEAR’S CLUB」と題するタオルセットを販売している。Yは、「DECOT BEAR’S COLLECTION」題するタオルセットを販売している。

・X商品は人形、タオルハンガー、フェイスタオル、ウォッシュタオル、バスタオル、籐カゴの組み合わせからなる。Y商品は人形、タオルハンガー、フェイスタオル、ウォッシュタオル、バスタオル、籐カゴ、キッチンクロスの組み合わせからなる。

・Y商品はX商品を模倣したものか。

・個々の商品（パーツ）の形態ではなく、収納状態の形態が商品の形態といえるか。

※「小熊タオルセット」事件：H10.9.10大阪地判H7（ワ）10247

原告X商品

被告Y商品

## ■コラム3

# フリーライドからブランド価値を守る法　── 不正競争防止法

### 1．注目される不正競争防止法

商標のフリーライドから企業のブランド価値を守る法律として、不正競争防止法があります。ほぼ同じ目的に奉仕する法律に商標法があることはよく知られていますが、不正競争防止法となると、商標法ほどには知られていないのではないでしょうか。

商標法は商標を登録して権利（商標権）を発生させ、この権利に基づいて保護を図るのに対し、不正競争防止法は登録は無関係で、商標を使用する行為そのものが不正な行為である場合にこれを規制して保護を図るものです。

不正競争防止法は、防止すべき不正な競争行為が列挙されており、商標に関しては、2条1項1号類型（周知表示混同惹起行為）と、同2号類型（著名表示冒用行為）がこれにあたります。商標法のように、権利の設定や維持に費用を要しませんし、登録も不要ですから、侵害があれば直ちに訴訟を提起できるメリットがあります。

対象となる範囲が大幅に広がったことに加え、近時の度重なる改正で救済手段も強化されたため、「使える」法律として注目されています。

### 2．民法、商標法、不正競争防止法

同一または類似の商品・役務に、同一または類似の商標を他人に勝手に使われると、商標権の侵害として商標法に基づく差止請求が認められています。商標法による差止請求は、商標が登録されていて商標権が有効に存続していることが前提です。

登録されていない場合はどうでしょうか。この場合には、商標法に基づく差止めはできませんから、民法不法行為か、不正競争防止法を考えることになります。しかし、不法行為法（民法）では、権利侵害に対して損害賠償を請求することができるとのみ規定していて、差止めを認めておりません。

損害賠償は、侵害がおきた後の金銭的な事後補償ですから、勝手に使われていることに対する対応としては十分ではありません。事後的な救済ももちろん重要ですが、それより、現在あるいは将来にわたっての使用を止めさせることこそが必要なのではないでしょうか。

そこで他人の無断使用を止めさせるために有効な手段となるのが不正競争防止法です。不正競争防止法は商標法と同様、差止請求を認めているところに大きな特徴があります。

### 3．不正競争防止法による保護

不正競争防止法によって差し止めるためには、自分の商標（旧不正競争防止法は、商品表示と営業表示を分けて規定していましたが、現行法はまとめて「商品等表示」としています）が、ある一定地域のごく狭い範囲であっても、需要者にある程度知られていること、いわゆる周知商標であることが必要です。

不正競争防止法は、周知にした限度で保護を図る制度ですから、登録されていない分、周知性が要求されています。商標が何に使われているかは問題となりません。

周知となった商標と同一または類似の商標を無断で使用し、混同を生じさせまたはそのおそれがある場合に差止めが認められます。これが不正競争防止法２条１項１号の周知表示混同惹起行為です。周知の度合いがさらに広がり、全国的に有名になったものを著名商標といい、この場合は２条１項１号とは別に２号の適用を受けることができます。これが２条１項２号の著名表示冒用行為です。著名となった商標と同一または類似の商標を無断で使用した場合に、混同のおそれを問うことなく差止めが認められます。具体事例を見てみましょう。

### 4．周知表示混同惹起行為（２条１項１号）

千葉県松戸市で、「スナックシャネル」という名のスナックを経営する者がおりました。高級婦人服、香水等で世界的に著名なあの「シャネル」と同じ名前です。
「シャネル」は日本でも著名ですので、現在では２号が使えるのですが、事件当時、２号の規定はありませんでした。１号は商標が「周知」であり、「類似」し、「混同のおそれ」があるときに差止めが認められますから、これらを立証しなければなりません。問題は「混同のおそれ」です。

古びた建物の２階にわずか10坪足らずの店を構え、従業員１名、アルバイト１名で１日数組の客を相手に、年間売り上げ870万円程度の松戸にある「スナックシャネル」と、世界的に著名な「シャネル」を、何らかの関連があるとはたして混同するでしょうか。
営業規模も内容もまったくかけ離れている異業種の場合には、混同は生じないのではないかと思われますし、あのシャネルが松戸の場末でスナックを経営するなどと誰も思わないのではないでしょうか。

しかし千葉地裁は、現在の経営の多角化傾向からすると、一般消費者は、業務上、経済上、組織上何らかの連携関係にあるものと誤認混同するおそれがあるとして差止めを認めています。このような広義の混同の解釈は、判例理論として定着しているところですが、控訴審である東京高裁では、この混同のおそれの認定はさすがに無理があるとして否定しています※１。

## ５．著名表示冒用行為（２条１項２号）の新設

「シャネル」以外にも、たとえばカメラの著名商標として当時よく知られていた「ヤシカ」を、化粧品に使われた例や※２、香水、高級アクセサリー等の国際的なブランドである「ニナ・リッチ」を、ノーパン喫茶の看板に使われたり※３、遊園地の経営やキャラクターの商品化事業で有名な「ディズニー」を、アダルトショップの営業表示に使われた例などがあります※４。

これら著名な商標と同一または類似の商標を使っているにもかかわらず、混同のおそれはないとしてしまうと、著名な商標がもつ顧客吸引力にただ乗り（フリーライド）することを禁止することができないばかりか、本来の使用と

は異なる商品や業種に使われることで、長年の営業努力によって築き上げた信用、名声、評判が薄められ（希釈化、ダイリューション）、良質なイメージが汚染（ポリューション）されるという弊害が生じてしまいます。

これらの事件を契機として、広義の混同の解釈にも限界があるのではないか、たとえ広義の混同を運用しても、商標のフリーライドやダイリューション、ポリューションには対応しきれないのではないかとの気運が高まり、平成５年の改正で、１号とは別に２号が新設されたのです。

２号では周知性のレベルを上げ、全国的に有名であることを要求する代わりに混同の要件をはずしました。これにより、混同のおそれを問うことなく、著名商標と同一または類似の商標を使用すると直ちに不正競争行為として差止めが可能となり、著名商標の保護が徹底されました。

### ６．１号と２号の相違

１号と２号の違いをまとめますと、需要者に知られている程度は、１号ではある地域のごく狭い範囲であってもよく、２号では全国的に知られているという高レベルが要求されること、商標は１号２号ともに同一または類似していることが必要ですが、１号ではそのような商標を使用して混同のおそれがあることを問われるのに対し、２号では不要であること、さらに平成17年の改正で、２号についても不正の利益を得る目的で、または信用もしくは名声を害する目的で著名な商標を無断で使用する行為に刑事罰を科すことにしたことなどがあげられます。

| 不正競争防止法 | 差止要件 | | | | 刑事罰 |
|---|---|---|---|---|---|
| | 登録 | 周知度 | 商標 | 混同 | |
| ２条１項１号 | 不要 | 一狭小地域 | 同一類似 | 要 | あり |
| ２条１項２号 | 不要 | 全国周知 | 同一類似 | 不要 | あり |

## 7．不正競争防止法の活用

不正競争防止法も商標法も、自分の使用する商標を不当な侵害行為から守るために奉仕する制度であることにかわりはありません。同じひとつの行為であっても「権利」に着目するか、「行為」に着目するかの違いがあるものの、侵害の有無を認定することについては相互に直接関係はありませんから、商標法で勝訴したからといって不正競争防止法でも勝訴するとは限りません。その逆もありえます。商標権をもっていたとしても不正競争防止法で争うことはできますし、あるいは不正競争防止法と商標法の両方を提起しておけば、完全に負けてしまうという完敗のリスクを低減できる可能性もあります。フリーライドから企業のブランド価値を守る法律として、不正競争防止法を活用してはいかがでしょうか。

※1「スナックシャネル」事件：H6.1.26千葉地判松戸支部H4（ワ）673
　控訴事件：H6.9.29東京高判H6（ネ）571
　上告事件：H10.9.10最判H7（オ）637
※2「ヤシカ」事件：S41.8.30東京地判S38（ワ）1415
※3「ニナ・リッチ」事件：S59.1.13東京地判八王子支部S58（ワ）415
※4「ディズニー」事件：S59.1.18東京地判S58（ワ）8056

これらはいずれも２号新設以前の事案ですので、旧法下で周知性のみならず、混同のおそれも立証して差止めが認められたものです。

なお、「シャネル」事件は、平成５年改正法が施行される直前の事案で、控訴審が混同のおそれはないとしたことについて、旧法が混同を要件としている以上同条項の解釈としてはやむを得ないが、この点は平成５年法の著名表示冒用行為で解決されたと判示しています。

# 第12講　ブランド構築のためのデザイン戦略

## ■デザインを保護する法律　―― 意匠法

### 1．意匠法の全体像（全77条）　※数字は意匠法の条数を示す

・意匠法の目的1 ―┬ 意匠の保護 ┐
　　　　　　　　　└ 意匠の利用 ┘―→意匠の創作の奨励――→産業の発達

・基本思想

先願主義9・審査主義16・登録主義20

・意匠法の構造

意匠2-1　※実施2-3

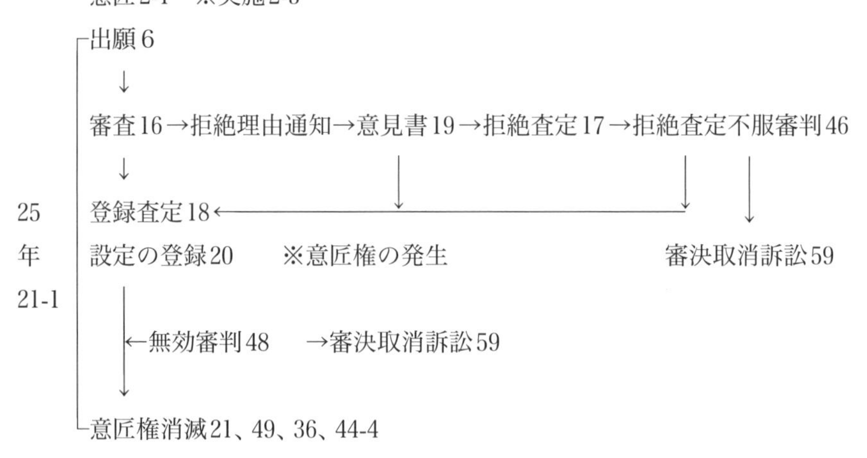


・意匠権の効力23

効力が及ばない範囲36

実施権　→専用実施権27、通常実施権28

・意匠権侵害
　間接侵害（みなし侵害）38
　差止請求37
　損害賠償請求（民法709）
　信用回復措置請求41
　侵害罪69

## 2．意匠登録制度概要

・商品やサービスに使用されるマークが著名になるにしたがって顧客吸引力が増大する。それが企業イメージと結びついて「ブランド」を形成するが、商品のデザインも同様である。良いデザインは商品価値を高め、需要の増大化を図ることができる。このような商品のデザインの保護を図るのが意匠法である。

・意匠法は、意匠（デザイン）の保護と利用を図り、意匠の創作を奨励し、産業の発達に寄与することを目的とした産業政策法であり（1条)、特許法や商標法と同様、登録型の権利付与法である。

・意匠法が保護する意匠は、工業製品にあらわされた物品（有体物のうち、市場で流通する動産 ── 量産可能な実用品）のデザイン（形状、模様、色彩またはこれらの結合）に関するものである。外形的美感が問題であり、技術的な機能や性能とは無関係である。

・物品に関するデザインであればデザインのジャンルを問わない（インダストリアルデザイン〈工業〉、テキスタイルデザイン〈織物〉、インテリアデザイン〈室内装飾、家具等〉、クラフトデザイン〈工芸品、木工、染め物、ガラス、陶磁器等〉、グラフィックデザイン〈写真、ポスター、カレンダー等〉、ジュエリーデザイン〈宝石〉等)。

・鑑賞に堪えうる美術工芸品や、絵画、彫刻などの純粋美術の著作物は著作権法によって保護される。応用美術の分野では意匠法と著作権法が交錯することもある。物品のデザインが同時に新規な技術的機能や性能を備えていれば、特許法や実用新案法によっても保護される。立体商標として商標登録の対象ともなり、商標法によっても保護される。日本国内での最初の販売から３年までの商品形態や、需要者の間に広く認識された商品形態は、不正競争防止法によっても保護される。

・意匠法が保護する意匠は、意匠制度確立以来「物品」のデザインに限られてきたが、近年のIoTやAIといった情報技術の発展により、デザインの対象や役割が広がってきて保護が十分ではなくなってきた。そこで時代のニーズに合わせ、令和元年にデザインをビジネスに活かすための大改正が行われた。大要は以下のとおり。

１．保護対象の拡充

２．関連意匠制度の見直し

３．権利存続期間の延長

### １．保護対象の拡充

・「物品」のみならず、無体物である「画像」や不動産である「建築物」、さらに「内装」まで保護対象とした。

・令和元年の改正に先立ち、平成18年の改正で、物品に記録された「画像」を保護の対象としたのであるが、これは、物品の機能と関連しかつ物品に記録・表示される画像を保護するもので、あくまで物品性を要求していた。令和元年改正では、画像は物品と区別して意匠の定義に含まれるとしたので、物品性は要求されないこととなった。したがって、画像が物品に記録・表示されているかどうかにかかわらず保護を受けることができる。

・また、昨今、モノのデザインのみならず空間デザインを重視し、店舗外観や内装に特徴的な工夫を凝らしてブランド価値を創出する事例が増えてきた。土地に定着した「建築物」は不動産であり、物品とはいえないため、保護の対象外であったが、建築物のデザインを模倣から保護するためこれを意匠権で保護することとした。

・意匠とは「物品の形状、模様もしくは色彩またはこれらの結合」（２条１項）とされるとおり、意匠は物品と一体不可分の関係で物品を離れて観念されず「意匠即物品」と考えられてきた。令和元年の改正によって、意匠と物品の不可分性は、意匠制度において本質的な要素ではなく、政策判断の一選択肢にすぎないことが明らかにされたといえよう。産業構造の変化、情報技術の発展等により産業における物理的なモノの重要性が相対化されつつある現在、物品に限定してきた仕組みやその解釈は見直される必要があろう。

## 2．関連意匠制度の見直し

・「関連意匠」（10条）とは、デザインのバリエーションを保護する制度である。一つのデザインコンセプトから創作されたバリエーションの意匠（シリーズもの）に関し、選択した自己の一の意匠を本意匠とし、それに類似する意匠は関連意匠として保護される（平成10年改正）。

・意匠の世界では、ロングライフデザインと呼ばれるデザインが存在し、特徴あるデザインの商品が長年にわたってユーザーに親しまれ商品販売力の源泉となっていることがある。同一デザインを長期にわたって使い続けるばかりでなく、デザインのイメージやコンセプトを維持しつつ時代に合わせてモデルチェンジを重ねながら徐々にデザインを変化させていくことも少なくない。このような場合に利用できる制度である。

・しかし令和元年改正前は、関連意匠として出願できる意匠は、本意匠に類似する意匠に限られており、関連意匠をさらにバリエーション展開し、もはや本意匠と類似しないデザインを開発した場合は関連意匠として保護されない。出願期間も短く、対応が容易ではなかった。

・令和元年改正では、本意匠に類似していなくても、関連意匠にさえ類似していれば関連意匠として登録できることとし、出願期間も、本意匠の出願日から10年を経過する日前までと大幅に延長された。

・関連意匠登録を受けるには、本意匠の意匠権が存続していることを条件に、最初に本意匠として選択した意匠の出願日から10年を経過する日前までに同一出願人または登録意匠権者が出願する必要がある（10条1項）。

## 3．権利存続期間の延長

・意匠権の存続期間は、設定の登録の日から20年であったが、意匠登録出願の日から25年に改められた（21条1項）。起算点が登録日ではなく、出願日であることに注意。

・その他意匠法に特有な制度として「部分意匠」、「組物の意匠」、「秘密意匠」がある。

**〈部分意匠〉**

・意匠法上、物品とは、有体物のうち、市場で流通する動産と解されていることから、物品の一部をなす「部分」は意匠法上物品とはいえず保護されなかった。
・物品の特徴ある独創的な部分を模倣されても全体として非類似であれば侵害を問えず、デザイン開発への投資を充分に回収することができないという問題が生じていた。そこで平成10年に、物品の部分についての意匠を保護する「部分意匠」制度が創設された（２条１項）。
・令和元年改正で、建築物および画像の部分についても部分意匠の登録が認められた。

**〈組物の意匠〉**

・同時に使用される２以上の物品、建築物、画像であって、経済産業省令（意匠法施行規則８条別表）で定めるものを構成する物品、建築物、画像に係る意匠は、全体として統一があるときには、「組物の意匠」として１つの意匠として保護される制度である（８条）。
・組物の意匠の類型に内装の意匠がある。
・「内装」とは店舗、事務所その他の施設の内部の設備および装飾であるが、内装を構成する物品、建築物、画像に係る意匠は、内装全体として統一的な美感を起こさせるときには、「内装の意匠」として１つの意匠として保護される（８条の２）。
・内装の意匠を組物の意匠として保護するには、「全体として統一がある」ことが条件となるが、内装のデザインは、家具や什器の組み合わせや配置、壁や床の装飾等によって醸成される統一的な美感を起こさせるものであり、組物の意匠とは性格を異にする。そこで８条の２として新設された。
・組物の意匠、内装の意匠についても部分意匠が認められる。

〈秘密意匠〉

・意匠は流行に左右されやすく、物品等の外観に関するものであるだけに、一見して模倣に晒される。そこで請求により設定の登録後３年以内の期間を秘密にしておくことができる「秘密意匠」制度を設けている（14条）。秘密意匠として登録されると意匠の内容は公開されず、秘密期間経過後に公開される（20条４項）。

・登録意匠の公開を実際の実施時期にあわせることが可能となり、実施前の第三者の模倣を防ぐことができるというメリットがある。

## ３．意匠登録の要件

・創作した意匠について意匠登録を受けるためには意匠法上の意匠に該当し、さらに登録要件として、

①工業上利用可能性（３条１項柱書）

②新規性（３条１項）

③創作非容易性（創作困難性；３条２項）

が要求される。

・日本国内または外国において公然知られた意匠や、書籍、雑誌、カタログ等に記載されている意匠、インターネット上で公開されている意匠には新規性がない（世界公知；３条１項１号、２号）。これらと類似する意匠にも新規性がない（３条１項３号）。

・新規な意匠であっても、創作性が低いと判断された意匠は、意匠登録を受けることができない。物品と離れた形態、いわゆるモチーフに基づいて容易に創作できた意匠も同様である。たとえば、自然物や建造物の形状をそのまま転用したような場合（東京スカイツリーの形状をそのまま模したクッキー等）は、創作が容易であるとされる（３条２項）。

・３条に該当しない意匠であっても、さらに公序良俗、善良の風俗を害するおそれがある意匠（５条１項１号）、他人の業務に係る物品、建築物、画像と混同を生ずるおそれがある意匠（５条１項２号）は意匠登録を受けることができない。

・物品の機能を確保するために不可欠な形状、建築物の用途にとって不可欠な形状のみからなる意匠、画像の用途にとって不可欠な形状のみからなる意匠も意匠登録を受けることができない（５条１項３号)。技術上必然的に定まる形状や規格化、標準化されている形状は、誰が創作しても同じ形状とならざるをえないからである。
・すでに公開されている先行意匠と類似する意匠は新規性がないとして意匠登録を受けることはできないし（３条１項３号)、登録された意匠権の効力は、登録意匠に類似する意匠にも及ぶため（23条)、意匠が類似するか否かの判断は極めて重要である。

## ４．意匠の類似

・意匠の類似は物品面と形態面の両面から判断される。物品の類似は物品の有する用途と機能によって、形態の類似は全体観察したときに得られる美感の共通性によって判断される。
・意匠が類似するとは、①物品が同一で形態が類似、②物品が類似し形態が同一、③物品と形態が共に類似、の３パターンが考えられる。したがって、④形態が同一であっても物品が非類似であれば意匠は類似しないし、⑤物品が同一であっても形態が非類似であれば意匠は類似しない。

**意匠の類似**

| 物品／形態 | 同一 | 類似 | 非類似 |
|---|---|---|---|
| 同一 | 同一の意匠 | ②類似の意匠 | ④非類似の意匠 |
| 類似 | ①類似の意匠 | ③類似の意匠 | 非類似の意匠 |
| 非類似 | ⑤非類似の意匠 | 非類似の意匠 | 非類似の意匠 |

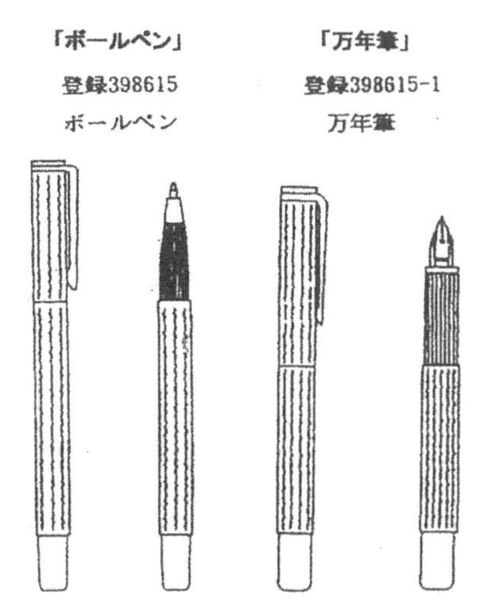


物品と形態が共に類似であれば意匠は
類似する③の例

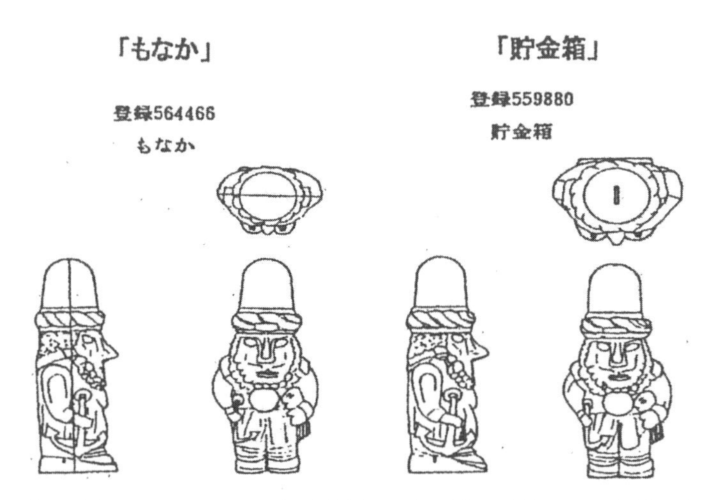


形態が同一であっても物品が非類似であれば意匠は類似しない④の例

**[電子ゲーム機]**

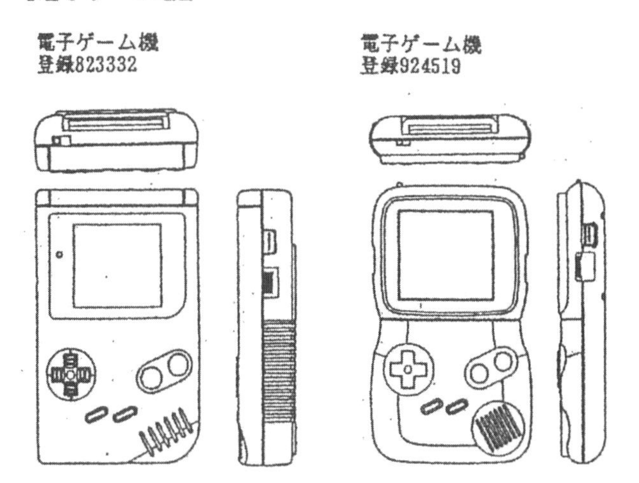


物品が同一であっても形態が非類似であれば意匠は類似しない⑤の例

## 5. 意匠登録出願

・意匠登録を受けようとする者は、願書と意匠を記載した図面を特許庁長官に提出しなければならない（6条)。図面はコンピュータグラフィックス（CG）で作成することも認められる。図面に代えて、写真、ひな形、見本も認められる。

・意匠登録出願は、意匠ごとにしなければならなかったが（一意匠一出願の原則；7条)、令和元年改正後は複数の意匠を一括して出願することが可能となった。

・意匠法の基本的な考え方は、先願主義（9条1項)、審査主義（16条)、登録主義（20条1項）である。同一・類似の意匠について2以上の出願が競合した場合は、最先の出願人のみが意匠登録を受けることができる。わが国は登録すべき実体的要件を具備しているか否かを審査してから登録する法制をとるが、実体審査をしない無審査国もある。

・審査で拒絶査定を受け、不服であれば拒絶査定不服審判を請求でき（46

条)、その審決に不服であれば審決の取消を求めて知財高裁に訴えを提起することができる（59条)。

## 6．意匠権

・意匠登録出願をし、審査をパスして登録料を納付すると意匠は登録され、意匠権が発生する（20条)。組物、内装の意匠については、組物全体、内装全体として1つの意匠権であり、構成物品等ごとの権利ではない。

・意匠権の存続期間は、意匠登録出願の日から25年である（令和元年改正；21条1項)。

・意匠権者は登録意匠およびこれに類似する意匠の実施をする権利を専有する（絶対的独占権；23条）から、他人が無断で登録意匠およびこれに類似する意匠を実施すると侵害となる。登録意匠に類似する意匠にまで権利が及ぶことに特徴がある。

・意匠権の侵害に対してはその侵害行為の差止め（37条)、被った損害の賠償（民法709条)、業務上の信用回復措置（41条）をそれぞれ請求することができる。刑事罰も科される（69条)。

・意匠権は財産権であるから、意匠権者は契約によって他人に登録意匠またはこれに類似する意匠を実施させ収益をあげることができる。意匠権を譲渡して対価を得ることもできる。質権を設定して資金を調達することもできる。しかし現実にはデザインを他社にライセンスすることはほとんどないといわれる。商品のデザインは企業イメージそのものだからである。

・商品のデザインは、商標とともにブランドとして企業イメージを形成する大きな要素である。デザインの良し悪しは、商品の売り上げに大きな影響を及ぼす。デザインを権利化して他社商品と差別化を図ることがブランド戦略上重要である。

## <部分意匠>

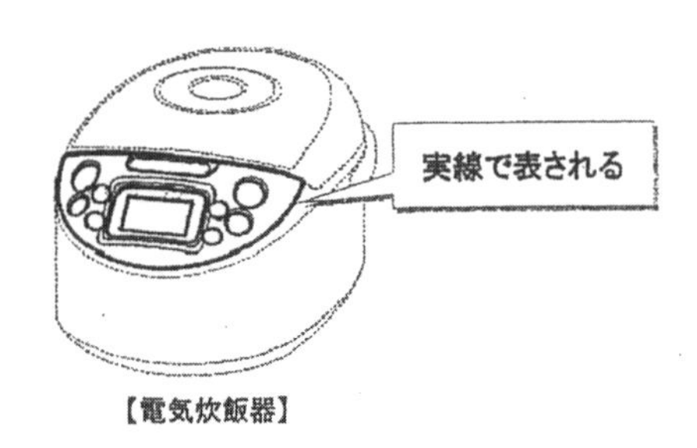


【電気炊飯器】

## <関連意匠>

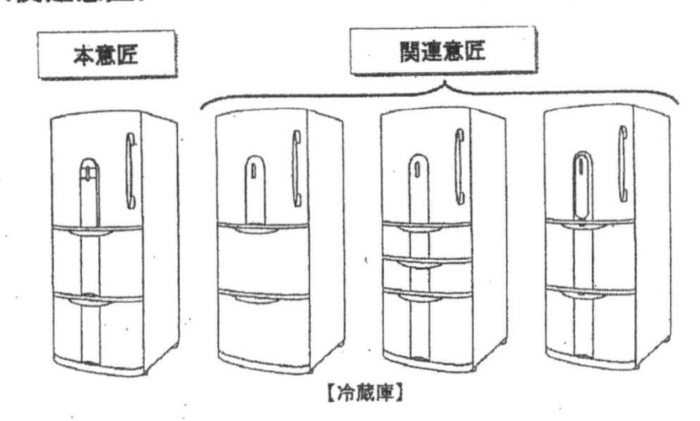


【冷蔵庫】

## <組物の意匠>

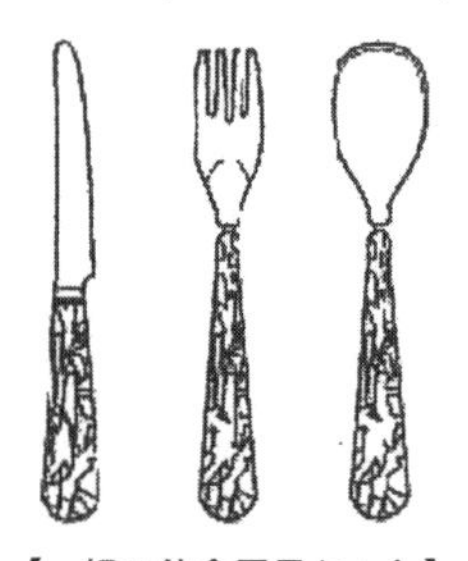

【一組の飲食用具セット】

## 組物の意匠に係る物品（意匠法施行規則８条別表）

| | |
|---|---|
| 一 | 一組の食品セット |
| 二 | 一組の嗜好品セット |
| 三 | 一組の衣服セット |
| 四 | 一組の身の回り品セット |
| 五 | 一組の美容用具セット |
| 六 | 一組の繊維製品セット |
| 七 | 一組の室内装飾品セット |
| 八 | 一組の清掃用具セット |
| 九 | 一組の洗濯用具セット |
| 十 | 一組の保健衛生用品セット |
| 十一 | 一組の飲食用容器セット |
| 十二 | 一組の調理器具セット |
| 十三 | 一組の飲食用具セット |
| 十四 | 一組の慶弔用品セット |
| 十五 | 一組の照明機器セット |
| 十六 | 一組の空調機器セット |
| 十七 | 一組の厨房設備用品セット |
| 十八 | 一組の衛生設備用品セット |
| 十九 | 一組の整理用品セット |
| 二十 | 一組の家具セット |
| 二十一 | 一組のペット用品セット |
| 二十二 | 一組の遊戯娯楽用品セット |
| 二十三 | 一組の運動競技用品セット |
| 二十四 | 一組の楽器セット |
| 二十五 | 一組の教習具セット |
| 二十六 | 一組の事務用品セット |
| 二十七 | 一組の販売用品セット |
| 二十八 | 一組の運搬機器セット |
| 二十九 | 一組の運輸機器セット |
| 三十 | 一組の電気・電子機器セット |
| 三十一 | 一組の電子情報処理機器セット |
| 三十二 | 一組の測定機器セット |
| 三十三 | 一組の光学機器セット |
| 三十四 | 一組の事務用機器セット |
| 三十五 | 一組の販売用機器セット |
| 三十六 | 一組の保安機器セット |
| 三十七 | 一組の医療用機器セット |
| 三十八 | 一組の利器、工具セット |
| 三十九 | 一組の産業用機械器具セット |
| 四十 | 一組の土木建築用品セット |
| 四十一 | 一組の基礎製品セット |
| 四十二 | 一組の建築物 |
| 四十三 | 一組の画像セット |

備考
一　建築物を含む組物の意匠について意匠登録を受けようとするときは、「意匠に係る物品」の欄には「一組の建築物」と記載する。
二　物品及び画像からなる組物の意匠について意匠登録を受けようとするときは、「意匠に係る物品」の欄には当該物品が属する組物の意匠を記載する。

〈設問〉

1．以下のデザインは意匠登録することができるか。

①打ち上げ花火

②自転車のペダル

③プレハブ住宅

④チョコレート

⑤ピカソの絵

⑥盆栽

⑦職人が手作りする日本人形

⑧星形のクッキー

⑨イタリアの雑誌に載っている椅子のデザインと類似の椅子（デザイナーはこの雑誌を見ずに独自に創作）

⑩喫茶店の内装

2．文字は模様として意匠たりうるか。

・意匠とは、物品等の形状、模様、色彩またはこれらの結合であって視覚を通じて美感を起こさせるものとされるから、物品に表された文字が模様として意匠を構成するかが問題となる。

・カップ麺の容器に「CUP NOODLE」の文字が表されている場合に、これを模様（意匠）と認めることができるか。

・特許庁の判断：本件意匠（カップヌードルの意匠）は、その周側部に横縞状の帯状および文字などの図形が表されており、しかも文字もその構成態様に創作があり、模様と認められる範囲のものであるから、単に形状の類似する容器と類似しているものということはできない。　→模様

・裁判所の判断：元来は文字であっても模様化が進み言語の伝達手段としての文字本来の機能を失っているとみられるものは、模様としてその創作性を認める余地があることはいうまでもない。しかし、本件意匠（カップヌードルの意匠）において、CUP お

日本国特許庁

昭和 48. 2. 16 発行　**意　匠　公　報**　21

359633　出願 昭 46.3.19　意願 昭 46―9125　登録 昭 47.12.1

創　作　者　安　藤　百　福　池田市満寿美町7の34
意 匠 権 者　日清食品株式会社　高槻市大畑町13の1
代理人 弁理士　鎌　田　嘉　之

意匠に係る物品　包装用容器

この意匠は一部図面代用写真によつて表わされたものであるから細部については原本を参照されたい

正面図

背面図

平面図

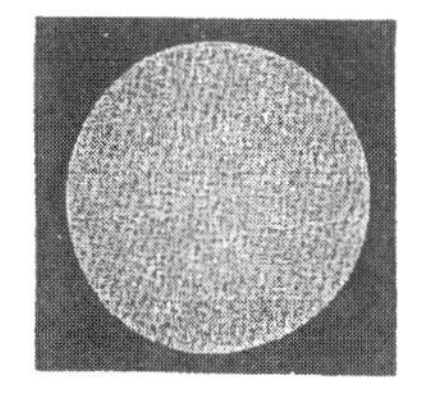

底面図

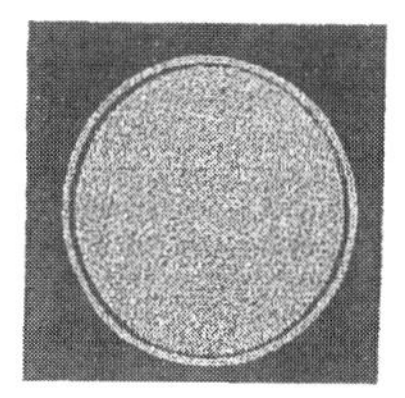

左側面図

拡大正面中央縦断面図

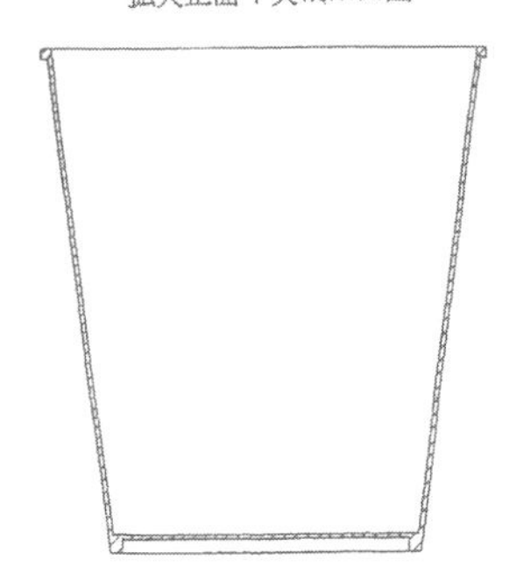

右側面図

よびNOODLEは、ローマ字を読むための普通の配列方法で配列されており、カップ入りのヌードル（麺の一種）をあらわす商品名をあたかも商標のように表示して、これを看る者をしてそのように読み取らせるものであり、かつ読み取ることは十分に可能とみられるから、いまだローマ字が模様に変化して文字本来の機能を失っているとはいえない。したがって、これを模様と認められる範囲のものとした審決の判断は誤り。　→模様でない

※「CUP NOODLE」事件 S55.3.25 東京高判 S53（行ケ）30

# 第13講　著作権法

■著作権制度概要

## 1．著作権法（全125条）

・著作権法は著作物（文芸、学術、美術、音楽の範囲に属する思想感情の創作的表現）に関し、著作者の権利を保護しつつ、公正な利用を図り、文化の発展に寄与することを目的とする法律である（1条）。しかし昭和60年、61年の法改正でプログラムとデータベースを著作権法に取り込んだことにより、特許法との垣根が低くなり、特許法同様の産業政策的要素を強くしている。
・著作権法はこれまで、出版者、レコード製作者、放送事業者といった、どちらかというとプロ向けの法律といったイメージがあったが、デジタル技術の発達とインターネットの普及で、情報の検索、収集、加工、複製が容易かつ高速に行われるようになり、誰もが情報を発信できるようになって、われわれの日常生活に密接なかかわりをもつ身近な存在となった。何か事を起こそうとすると直ちに著作権問題にぶつかるような状況が生まれている。
・現行著作権法は古典的なアナログ著作物を対象としており、現代のデジタル化とネットワーク化に対応しきれていない。毎年のように法改正が行われているが、規定はますます複雑化してきている。

## 2．著作物

・著作権法によって保護されるのは「著作物」（10条）である。目の前にある作品が著作物でなければ著作権の問題は生じない。そこでまず著作物とは何かを把握することが著作権理解の出発点である。
・「著作物」とは、文芸、学術、美術、音楽の範囲に属する思想または感情を創作的に表現したものをいう（2条1項1号）。言語、音楽、舞踊、美術、建築、地図、映画、写真、プログラムが例示されている（10条1項）。

・著作権法は「表現したもの」を保護するが、表現媒体自体を保護するわけではない。保護の客体は、表現された媒体を介して把握される思想または感情であり、思想または感情を離れた表現それ自体ではない。
・「スタイル」も保護しない。ピカソ風の絵の描き方とか、黒澤明っぽい映像の撮り方といった作風はあくまで表現形式の問題であり保護の対象とならない。
・「思想または感情の表現」であるから、東京スカイツリーの高さは634メートルといった単なる事実やデータそのものも保護しない。ただしデータの集積を一定の方針で選択、配列した場合は「編集著作物」(12条)として保護される。
・「創作的な表現」であることから、他人のまねではなく、何らかの個性があらわれていればよい。個性に絶対的な基準はないから、高度な独創性が要求されるわけではない。子供が描いた絵でも創作的表現である。ただし、誰が表現しても同じような表現にならざるを得ないような場合は「ありふれた表現」として著作物と認められない場合がある。たとえば、新聞の死亡記事や催し物の案内などが該当しよう。
・キャッチフレーズやキャッチコピーは著作物として保護するだけの創作性がないと考えられ、保護されるには一定の言葉の集積が必要とされるが、俳句や短歌は短くても著作物たりうる。ケースバイケースである。
・即興で作った曲や演奏など、その場で消えてなくなるものでも著作物である。映画を除いて、何かの物に固定しなければならないという条件はない。
・既存の著作物を改変し、しかも原著作物の創作性ある表現が感得できる場合は、「二次的著作物」(2条1項11号)が成立する。翻訳、編曲、変形、翻案がある。たとえば英語の小説を日本語に訳し(翻訳)、楽曲をアレンジし(編曲)、写真をもとにこれを絵にし(変形)、小説を映画化する(翻案)などである。二次的著作物は原著作物とは別個の著作物であるから、これを利用する場合には、原著作物の著作者と二次的著作物の著作者両者の許諾が必要である(11条)。

## 3．著作者

・著作物を現実に創作した者が「著作者」である（2条1項2号)。創作行為は自然人のみがなしうるが、会社の従業者が職務上著作物を作成した場合、①会社の発意に基づき、②従業者が職務上作成し、③会社名義で公表する、の3要件を満たすと「職務著作」として会社が著作者となる（15条1項)。

・発意に基づくとは、会社として著作物を作ることを決定したという意味であり、職務上とは、使用者から指揮、命令され、与えられた仕事としてという意味である。

・会社名義とは、たとえば新聞社の記者が書いた記事を、その記者の名前は出さずに会社名で公表するような場合である。

・プログラムについては扱いが異なり、上記③が該当しなくても①②のみで会社が著作者となる（15条2項)。ただし、いずれの場合も、従業者との間で契約等特約があればそれが優先される。

・映画については、「全体的形式に創作的に寄与した者」が著作者となる（16条)。通常は監督であろう。

・著作権（著作財産権）は「譲渡」することができるから（61条1項)、著作者と著作権者が相違することがある。著作物を創作したと同時に著作権が著作者に発生するが、著作権を譲渡すると著作権は譲渡された者に移転し、著作者は著作権者でなくなるので注意。

## 4．著作権

・著作権は、著作物を創作したと同時に権利が発生し、権利取得のためになんら手続は不要である（無方式主義；17条2項)。著作権法は、著作物を創作した者に著作権を発生させて保護する権利付与法であることは商標法等と同じだが、出願をして審査を受け、国（特許庁）の行政処分によって権利が発生するのではない。ただし登録制度はある（実名登録；75条、創作年月日登録；76条の2、等)。

・著作権の存続期間は、著作者の死後70年である（51条2項)。映画の著作物については公表後70年。権利期間が過ぎればパブリックドメイン（公有）として自由利用が可能となる。

・商標権のような公示制度をもたないから、どこで誰のどのような著作権が発生しているのか把握することが困難であるし、侵害の発見も困難である。他人の著作物を利用しようとする際には著作権者の許諾を得る必要があるが、多種多様な著作物を大量に利用するような場合は、個々の権利者に一々交渉するのは極めて煩雑である。そこでできたのが、音楽の世界での「JASRAC」のような著作権管理団体である（著作権等管理事業法）。

・著作権には、著作物を創作した者がもつ「著作権」と、それを伝達する者がもつ「著作隣接権」とがある。著作物を利用、流通させ、多くの者に著作物を享受させるためには、それを伝達、媒介する者が必要である。そこで実演家、レコード製作者、放送事業者、有線放送事業者の４者に「著作隣接権」という権利を与えて保護している。なお、出版者には著作隣接権は与えられていない。

・著作権は、財産権であると同時に人格権も併せ持つことに特徴がある。財産権としての著作権（著作財産権）と、人格権としての著作権（著作者人格権）とはそれぞれ別個独立の権利である。

・著作者人格権は一身専属の権利であり譲渡することはできない（59条）。著作者が死亡すれば消滅するが、著作者の死後においても著作者人格権の侵害となるべき行為をしてはならないとしている（60条）。

## 5．著作権の内容

※数字は著作権法の条数を示す

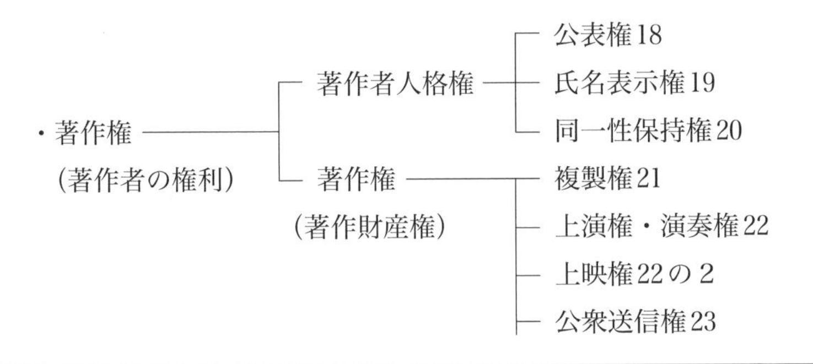

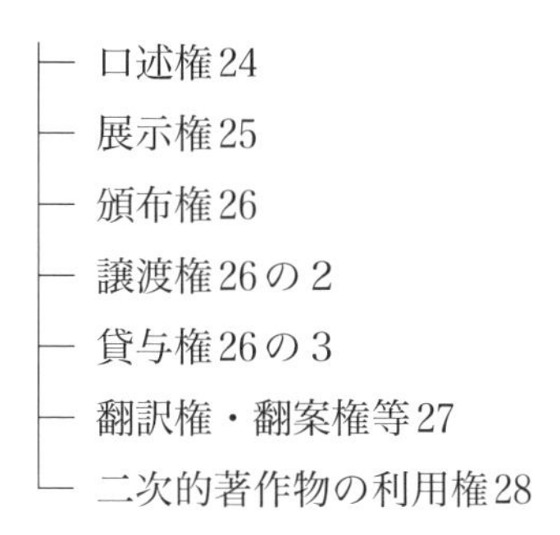


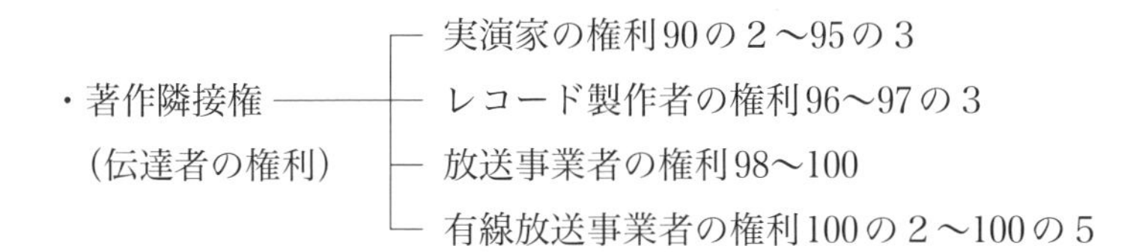


**著作者人格権**

〈公表権〉18

・自分の著作物を公表するかしないか、いつどのような形で公表するかを決定できる権利。

〈氏名表示権〉19

・自分の著作物を公表するときにどのような著作名（本名、ペンネーム等）を表示するかを決定できる権利。

〈同一性保持権〉20

・自分の著作物の内容や題名を意思に反して勝手に改変されない権利。

**著作権（著作財産権）**

〈複製権〉21

・印刷、コピー、写真撮影、録音、録画などの方法によって著作物を再製する権利。

※私的使用のための複製はOK

〈上演権・演奏権〉22

・著作物を公に上演したり演奏する権利。生演奏、レコード、CDの再生も含む。
　※不特定または多数を前に上演、演奏する行為が対象。結婚式で歌を歌う、CDを流す行為も演奏のうち、NG

〈上映権〉22の2

・著作物を公に上映する権利。映画に限られない。
　※パワーポイントを映写し公衆の前でプレゼンする行為はNG

〈公衆送信権〉23

・著作物を放送・有線放送したりインターネットにアップロード（送信可能化）したりして公に伝達する権利。
　※他人の著作物を無断でブログに貼り付ける行為はNG

〈口述権〉24

・言語の著作物を朗読などの方法で口頭で公に伝える権利。

〈展示権〉25

・美術の著作物と未発行の写真著作物の原作品を公に展示する権利。
　※オリジナルだけが対象。複製品の展示はOK
　※複製画を買ってきて喫茶店の店内に飾る行為はOK

〈譲渡権〉26の2

・映画以外の著作物の原作品や複製物を譲渡によって公衆に提供する権利。
・適法な譲渡がなされた後は、再譲渡について権利は及ばない　⇒消尽論
　※消尽論（ファーストセールドクトリン）→いったん正当に流通に乗った商品は、その後再配布しても譲渡権は働かない。したがって、正当に購入したものを転売しても侵害とはならない。
　※本を古書店に売ったり、CDをネットで転売したりする行為はOK

〈貸与権〉26の3

・映画以外の著作物の複製物を貸与によって公衆に提供する権利。

※無断でレンタルビジネスに使うなと言える権利

〈頒布権〉26

・映画の著作物の複製物を公衆に譲渡・貸与する権利（譲渡権＋貸与権＋消尽しない）。

※映画の著作物だけに認められている映画特有の権利

〈翻訳権・編曲権・変形権・翻案権〉27

・著作物を翻訳・編曲・変形・翻案する権利。

〈二次的著作物の利用権〉28

・二次的著作物の著作者のみならず原著作者も上記各権利を持つ。

※甲の小説Xをもとにした乙の映画Y→権原なき丙がYを利用するには、甲の許諾も必要（11条）。無断上映すると、乙ばかりでなく甲からも訴えられるおそれあり。

## 6．著作権の制限

1）私的使用

・私的使用のための複製は許諾不要である（30条1項）。

※個人的、家庭内、これに準ずる範囲内はOK

※公衆の利用に供することを目的として設置されている自動複製機器（レンタルビデオ店に置いてあるダビング機等）を用いて複製する場合は私的使用であってもNG（同1号）

※技術的保護手段の回避により可能となった複製をその事実を知りながら行う場合もNG（同2号）

・業として行うと刑事罰の対象となる（120条の2）。

※自炊代行業者による複製は？

2）私的録音録画補償金

・デジタル技術の発達によってオリジナルと複製とで品質に差がなくなってくると、安価なコピーで十分ということになり、オリジナルを求めなくなる。そうするとひとつひとつの複製は著作権者への影響が小さくても、全体として著作権者の経済的利益は大きく損なわれ、社会の文化活動全体にも悪影響をもたらしかねない。そこで、私的使用のための複製は自由だとしても、何らかの形で著作権者への利益の還元を図ることが求められるようになった。私的録音録画の補償金制度である。デジタル式の録音録画機器により私的に録音録画する者は相当の額の補償金を著作権者に支払わなければならない(30条3項)。

3）写り込み

・写真撮影で、意図した撮影対象の背景にたまたま絵画が写り込んでしまったような場合や、ビデオ撮影で、流れていた音楽が録り込まれてしまったような場合はOK（30条の2）。

4）図書館における複製

・国立国会図書館、大学の図書館、公共の図書館等に限り、利用者の求めに応じて公表された著作物の一部を1人につき1部提供することができる（31条)。
※1冊まるごとのコピーはできない

5）引用

・公表された著作物は、公正な慣行に合致し、報道、批判、研究等の目的上、正当な範囲内で「引用」して利用できる（32条1項)。
・適法な引用の基準として、「明瞭区別」、「主従関係」の要件が最高裁判決によって明らかにされている。引用する場合には出所を明示しなければならない（48条)。
※近時、条文に則して「公正な慣行」と「正当な範囲内」で判断する裁判例があらわれている。

６）営利を目的としない上演、演奏、上映、口述

・非営利目的で、観客から料金を受け取らない、実演家に報酬を支払わない場合はOK（38条）。

**著作権の制限規定（著作権者の許可がいらない場合）**

| | |
|---|---|
| 30条 | 私的使用のための複製（１項）<br>私的録音録画補償金（３項） |
| 30条の２ | 付随対象著作物の利用（写り込み） |
| 30条の３ | 検討の過程における利用 |
| 30条の４ | 著作物に表現された思想又は感情の享受を目的としない利用 |
| 31条 | 図書館等における複製 |
| 32条 | 引用 |
| 33条 | 教科用図書等への掲載 |
| 33条の２ | 教科用図書代替教材への掲載 |
| 33条の３ | 教科用拡大図書等の作成のための複製 |
| 34条 | 学校教育番組の放送 |
| 35条 | 学校その他の教育機関における複製 |
| 36条 | 試験問題としての複製 |
| 37条 | 視覚障害者等のための複製 |
| 37条の２ | 聴覚障害者等のための複製 |
| 38条 | 営利を目的としない上演・上映 |
| 39条 | 時事問題に関する論説の転載 |
| 40条 | 政治上の演説等の利用 |
| 41条 | 時事の事件の報道のための利用 |
| 41条の２ | 裁判手続等における複製 |
| 42条 | 立法又は行政の目的のための内部資料としての複製 |
| 42条の２ | 審査等の手続における複製 |
| 42条の３ | 行政機関情報公開法等による開示のための利用 |

| 42条の4 | 公文書管理法等による保存のための利用 |
|---|---|
| 43条 | 国立国会図書館法によるインターネット資料等の収集のための複製 |
| 44条 | 放送事業者等による一時的固定 |
| 45条 | 美術の著作物等の原作品の所有者による展示 |
| 46条 | 公開の美術の著作物の利用 |
| 47条 | 美術の著作物等の展示に伴う複製 |
| 47条の2 | 美術の著作物等の譲渡等の申出に伴う複製 |
| 47条の3 | プログラムの著作物の複製物の所有者による複製 |
| 47条の4 | 電子計算機における著作物の利用に付随する利用 |
| 47条の5 | 電子計算機による情報処理及びその結果の提供に付随する軽微利用 |
| 47条の6 | 翻訳、翻案等による利用 |

## 7．著作権侵害

・著作権侵害とは、著作権者の許諾を得ないで著作物を利用することである。侵害というためには、他人の著作物に「依拠」して「類似」のものを再製することが必要である。条文上の根拠がなく、最高裁判決（「ワン・レイニー・ナイト・イン・トーキョー」事件 S53.9.7最判 S50（オ）324）によって要件化された。したがって、同じものを創作しても、「依拠」していなければ侵害とはならない。偶然の一致を認め、著作権はそれぞれ別個に発生する（相対的独占権）。侵害裁判で、知らなかった（依拠していない）ことが抗弁事由となる。この点でも商標権や意匠権と大きく異なる。

・著作権侵害に対して著作権者は差止請求（112条）、損害賠償請求（民法709条）をすることができる。著作者人格権が侵害された場合には、損害の賠償に代え、または損害の賠償とともに著作者の名誉・声望を回復するための措置を請求することができる（115条）。侵害した者には刑事罰も科される（119条）。

・現実にどの程度似ていれば著作権侵害で違法になるのか。実際に盗作裁判になったケースで探ってみよう。

〈著作権侵害事件〉

1.「スイカ写真」事件（H11.12.15東京地判 H11（ワ）8996)、(H13.6.21東京高判 H12（ネ）750)

vs

2.「交通標語」事件（H13.5.30東京地判 H13（ワ）2176)、(H13.10.30東京高判 H13（ネ）3427)

**「ボク安心　ママの膝より　チャイルドシート」**

vs

**「ママの胸より　チャイルドシート」**

3.「ミッフィー対キャシー」事件

## 8．パロディの著作権問題

・パロディがどこまで許されるか（著作権侵害になるか否か）は、これを許容する文化的成熟度にもかかわる難しい問題を提起する。

・既存の文芸作品の登場人物の性格設定をそのまま利用しつつ、そこで展開されるストーリーは全く別という場合は、アイディアの利用であって表現の利用ではないので著作権の問題は生じないと考えられる。既存の作品の表現を利用しつつも全体として別の表現になっていれば複製、翻案ではなく別個の創作となる。しかし既存作品の一部を改変しただけで、既存作品とほぼ同一であれば複製であるし、一部内容を改変しても全体として基本的な特徴の枠内にとどまる限りは翻案と考えられ、許諾が必要になる。しかし通常パロディとは、原作を揶揄、風刺、茶化すものであるから原作者の同意を得るのは難しい。またパロディは必ず改変を伴うので、著作者人格権のうちの同一性保持権の問題ともなる。

・最高裁判決が１つある（「パロディモンタージュ写真」事件 S55.3.28最判S51（オ）923）が、「引用」に該当するかどうかが争われ、パロディは許されるかという問題を正面から議論していない。判例の枠組みからすればパロディはほとんど翻案権侵害になってしまうであろう。パロディで思想感情を表現することは、表現の自由（憲法）の問題もからんでくる。

・フランス著作権法では、パロディを許容する規定がありこれを認めている。アメリカでは「フェアユース」（公正使用）の規定があり、批評、解説、研究等を目的とする公正使用は著作権の侵害とならないとしている。わが国もフェアユースの考え方を導入しようとする動きがある。

※平成30年の著作権法改正で、主としてデジタル関連についてはフェアユースといってもよい規定が設けられた（30条の４）。

# 第14講　知的財産権同士の衝突

■知的財産権の衝突

・商品や役務に使用される表示の問題は、商標法か不正競争防止法の問題と常に割り切れるものではない。たとえばTシャツという商品のワンポイントマークとしての図形商標は、Tシャツのデザインであって、Tシャツという物品の意匠ともいえる。また、このマークがたとえば漫画のキャラクターの著作物であると、著作権法も関係してくる。商標法、意匠法、著作権法はそれぞれ保護の趣旨が異なるが、現実には重なることがある。

・知財がらみの問題を解決しようとするときには、どの法律の問題なのかを見定め、ブランド保護の企業戦略においても、商標法、不正競争防止法のほかに意匠法や著作権法も射程に入れ考察する必要がある。

## 1．商標と意匠の交錯

### 〈ジーンズのバックポケット模様〉

・ジーンズのバックポケットの縫い目模様が意匠として登録されている。ポケットは単独取引が可能な部品として意匠登録の対象となるが、それが商品の識別力を発揮するのであれば商標登録も可能である。このような商標は以前は識別力を否定されていたが、今日では、需要者の商品選択の際の着目部

意匠登録第1110970号
物品：被服のポケット

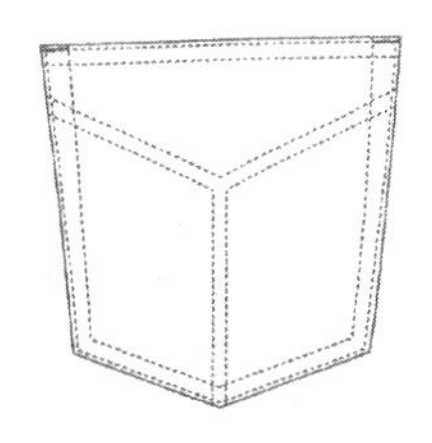

商標登録第2006244号
指定商品：被服

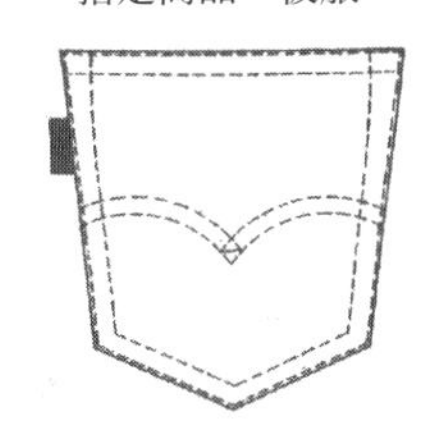

分として十分識別力を発揮するとみられている。

**〈バッグの図柄模様〉**

・商標法によってデザインの侵害が争われている。ルイヴィトンのバッグの模様は意匠としての使用であって、商標として使用しているものではないとの主張に、裁判所は、商標と意匠は、排他的・択一的な関係にあるものではなく、意匠となりうる模様であっても、それが自他識別機能を有する場合は商標としての使用であるとして、ルイヴィトンのバッグのコピー商品を輸入販売する行為は商標権侵害にあたるとしている。

「ルイヴィトンバッグ」事件 S62.3.18 大阪地判 S61（ワ）4147

商標登録第1332979号
指定商品：かばん類

商標登録第1446773号
指定商品：かばん類

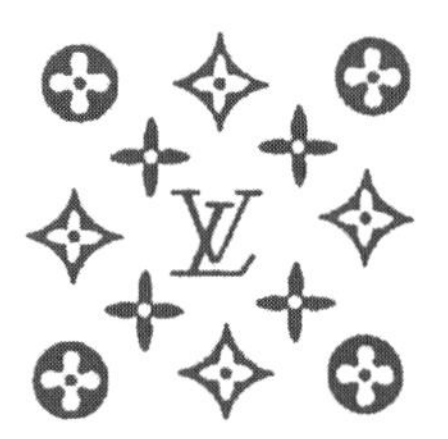

## 2. 商標と著作物の交錯

・つくだ煮店の図柄の商標が著作権の侵害とされている。商標法には、他人の著作物を商標として採択してはならないという規定は存在しない。登録できないという規定もない。しかし、他人の著作物を無断で採択し、修正を加えて商標として使用していたことが著作権の侵害とされている。

「新橋玉木屋」事件 H11.9.28 東京地判 H10（ワ）14180

三谷一馬さんの作品
（江戸商売図絵）

使用が差し止められた商標

## 3．商標権と意匠権の衝突　── 権利抵触の調整規定

・同一対象物に意匠権と商標権をそれぞれ別の者が持っている場合、登録意匠を実施しようとすると商標権を侵害することになるし、登録商標を使用しようとすると意匠権を侵害することになる。このような権利の衝突をどう考えたらよいか。

・商標法29条は、指定商品または指定役務についての登録商標の使用が、その使用の態様により、①その商標登録出願の日前の出願に係る他人の特許権、実用新案権、意匠権と抵触するとき、②その商標登録出願の日前に生じた他人の著作権、著作隣接権と抵触するときは、登録商標の使用をすることができないと規定する。

・また意匠法26条1項は、登録意匠に係る部分が、①その意匠登録出願の日前の出願に係る他人の特許権、実用新案権、商標権と抵触するとき、②その意匠登録出願の日前に生じた他人の著作権と抵触するときは、登録意匠の実施をすることができないと規定する。

・つまり商標権と意匠権の衝突の優劣は、出願の先後できまる。商標権が先願であれば登録商標の使用は可能であるが、意匠権が先願のときは、商標権者は意匠権者の許諾を得ないと使用できないことになる。

・許諾が得られない場合、特許法、実用新案法、意匠法には実施許諾について協議を求めることができ、協議が成立しないときには特許庁長官の「裁定」を請求することができるという「裁定実施権」制度が設けられているが（特特許法92条、実用新案法22条、意匠法33条）、商標法にはそのような規定はない。

・許諾を受けたとしても使用すると出所の混同を生ずるおそれがあるから、取引秩序維持の見地からすると、商標権者は意匠権者から使用許諾を受けることができないと解される。

・同様に意匠法33条には商標権者に対して実施許諾を求めることができる規定はなく、商標権者から許諾を得て実施すると、商標権者の業務に係る商品との関係で出所の混同を生ずるおそれがあるので、意匠権者は商標権者から実施許諾を受けることができないと解される。

■正露丸事件にみるブランド戦略
〈登録商標なのになぜ差し止められなかったか〉

H18.7.27大阪地判 H17（ワ）11663

## 1．事実関係

・Aの「正露丸」は、1952年に出願し、1959年に商標登録されている。遅くとも1977年以降今日に至るまで30年以上一貫して「正露丸」の表示を使用し、多額の費用を投じて宣伝広告活動を行った結果、医薬品市場におけるシェアは、売上金額ベースで80％を超える（販売数量ベースでは60％）。

・他方で、「正露丸」の名称で同薬品を製造販売する業者は10社以上存在し、包装箱の形状、色、ロゴ、配置等パッケージデザインはBのようにほとんどAと共通する特徴を有している。

・Aは「ラッパのマークでおなじみ」とか「私にはラッパのマークがついています」、「ラッパのマークの正露丸とご指定ください」との宣伝文句を必ずといってよいほど流し、「ラッパのマーク」を強調している。

A

B

## 2．裁判所の判断

・第２次世界大戦後「征露丸」表示を「正露丸」に改めるよう行政指導が行われたことから、「正露丸」が多数の業者によって全国的に用いられるようになった。その結果、遅くとも商標登録時の1959年当時には、正露丸は一般的な名称として国民の間に広く認識されていた。

・「正露丸」の語は、少なくとも「正露丸」の製造販売に携わる取引者間では、一般的な名称として認識されており、Ａの商品表示として認識されているものではない。

・特定の業者の製造販売する普通名称を付した商品が、大量の宣伝広告を通して相当のシェアを獲得したとしても、それだけで直ちにその普通名称がその業者の製造販売する商品を識別する機能を有する商品表示性を取得するものではない。

・Ａの訴え提起までの間に、「正露丸」の表示で本薬品の製造販売を行っている他の業者に対し、その名称の使用停止を求め、排除するための措置をとったのは一度しかない。

・Ａの製品はラッパのマークと社名により他者製品と識別されている。仮に全体の印象が似ているとしても、Ｂのひょうたんのマークのパッケージを Ａの パッケージとして誤認混同するおそれはない。

■ブランド育成のために

## 1．普通名称化防止

・普通名称は商標登録できない（商標法３条１項１号）。「正露丸」が登録されたということは、出願当時は普通名称ではなかったと考えられる。しかし、時間の経過とともに普通名称化してしまうことがある。商標の普通名称化は、斬新な商品で市場に唯一という場合に往々にして起こりうる（たとえば、エスカレーター、セロテープ、ナイロン等）。普通名称化してしまうと、商標権の効力は及ばない（商標法26条）。他者の使用も阻止することができなくなる。
・普通名称には識別力がなく、出所表示機能を有しないから、不正競争防止法上も商品等表示とはいえず、商品の普通名称を普通に用いられる方法で使用する行為は適用を除外される（不正競争防止法19条１項１号）。
・商標を登録したからといって安心はできない。登録商標であっても、商標管理を怠ると普通名称化してしまうおそれがある。他者が使い出したら警告を発するなりして、登録商標であることをアピールし、使用停止を求め、排除するための措置を講じていく必要がある。

## 2．普通名称化してしまったら

・Ａはラッパのマークとの併用やパッケージでの識別を考える必要がある。本件の場合、裁判所は、パッケージについてＢの「すり寄り行為」（近接行為）があったことを認めている。しかし、不正競争にはあたらないとしている。Ａはラッパのマークを強調し、消費者はラッパのマークで識別していたのだから、同じイメージを保ちつつ徐々にパッケージデザインを変更していく手段を考えるべきだろう。平成26年改正で、音が商標登録可能となったため、音についても積極活用すべきである。

## 3．知的財産権の活用

・商品の販売から３年までは不正競争防止法によるデザイン保護の可能性を探る。その間に意匠登録出願をし、権利化して独占権を得る。Ａの商品等表示として周知になれば、権利満了後も不正競争防止法による保護が享受できる。さらに商標権を取得し更新し続ければ、安心して使うことができる（商標権は半永久権）。さまざまな知的財産権を活用し、信用獲得に努めるべきである。

### ■キャラクターをめぐる権利

## 1．キャラクターの商品への利用

・「キャラクター」とは、サザエさん、ドラえもん、ミッキーマウスなど、漫画やアニメ、小説、映画などに登場する人物や動物の名称、姿態、役割を総合した人格とでもいうべきものである。それはもともと漫画や映画等に出てくる単なる登場人物というだけのことであったが、その人気ゆえにＴシャツや、文房具などの商品にプリントされるといった使われ方をされるようになった。つまり、人気キャラクターには顧客吸引力があり、経済的価値がある。

・キャラクターの利用方法としては、ゲームソフト、プラモデル、人形など商品そのものの製造や、Ｔシャツへのワンポイントマークといった商品の装飾的使用、パッケージへの印刷のような包装、容器への使用、宣伝広告への使用等多岐にわたる。

・キャラクターの利用はもちろんタダではない。保有者と使用者の間でライセンス契約を結び、利用者は利用許諾を得て利用料を支払うことになる。このようなキャラクターを商業的に利用する権利を「商品化権」（Merchandising Rights）と呼ぶが、法律上認知された権利ではない。

・キャラクターは漫画や映画の著作物の主人公であるから、著作物の一部と考えることができる。サザエ、カツオ、ワカメの顔が観光バスに描かれ、サービスマークとして無断利用されていたというケース（「サザエさん」事件

〈S51.5.26東京地判S46（ワ）151〉）では、裁判所は、漫画のキャラクターの利用は著作権を侵害すると判断したが、はたしてそうか？

・キャラクターは著作物に由来するが、漫画の具体的表現から昇華した登場人物の人格ともいうべき抽象的概念であって、それ自体は思想感情の創作的な表現ではないので著作物ではないと考えられる。著作物とは別の経済的価値を持つイメージ情報だとすると、著作権法で保護するのには無理があろう。「ポパイネクタイ」事件（H9.7.17最判H4（オ）1443）では、キャラクターの著作物性は否定されている。訴訟の際には、内容に応じて、著作権法、商標法、意匠法、不正競争防止法などを使い分ける必要があろう。

## 2. パブリシティ権

・特に有名な実在人物の場合にはキャラクターといわずに「パブリシティ」といい、商品化権ではなく「パブリシティ権」という。

・人は誰でも自己の容貌・容姿を無断で写真に撮られたりその写真を公表されたりしない権利（肖像権）を持つ。肖像権は法律上明文の規定がないが、判例で認められている。

・芸能人やスポーツ選手など有名人になると常に見られることが仕事といえるから、自己の名前や肖像が公開されたり利用されたりすることはある程度やむを得ない面がある反面、むしろこれを積極的に利用すれば経済的価値をもたらすことになる。すなわち、芸能人やスポーツ選手など有名人の氏名や肖像には顧客吸引力があるがゆえに、これを商品に利用すれば財産的利益を得ることができる。

・人気スターは本来のプライベートな自分とは別の商業用の虚像を作り上げ、この虚像の持つ人気は顧客吸引力となり、これが人気スターの経済的価値を生み出す源泉となる。

・顧客吸引力を持つようになった肖像や氏名は、ブロマイドや人形、各種商品にプリントされ、宣伝広告に使用されるなどして商品化される。このような経済的価値を持つようになると、人気スターたちは無断で肖像や氏名を使うのを禁止しようとするだろう。無断で使用されればイメージを壊されることがあるかもしれない。損害があれば賠償してほしいと思うだろう。このような有名人の肖像や氏名などによるこの経済的価値に対する独占的権利をパブリシティ権という。

・パブリシティ権を規定し保護する法律はない。しかし、有名スターのイメージに便乗する商品化が盛んになるにつれ、裁判所としても認めざるを得なくなり（下級審では認めてきた）、平成24年２月２日の最高裁判決で、パブリシティ権を法的な権利として認める初めての判断が出された（「ピンクレディ」事件 H24.2.2最判 H21（受）2056）。

## 3. 物のパブリシティ権

・顧客吸引力があるなら、人間ばかりでなく、「物」についてもパブリシティ権を認めてはどうかという議論がある。競馬の競走馬の馬主が、ゲームソフトにその人気馬の名前（オグリキャップ等）を無断で使用された場合にもパブリシティ権を持つか、という形で現れた。ちなみに馬や犬、猫などの動物は、法律的には「物」である（動物を殺すと器物損壊罪）。

・市販のゲーム機器に実在の野球選手やタレントの氏名を無断で使用すれば、パブリシティ権の侵害であるが、人が所有する競走馬の馬名またはその肖像をゲーム機器に使用する場合はどうか。判断の分かれるところであるが、最高裁は、人以外の物についてのパブリシティ権を明確に否定している（「ギャロップレーサー」事件 H16.2.13最判 H13（受）866）。

# 第15講　その他の知的財産法

■特許法

## 1．特許制度概要

・特許法は、発明の保護と利用を図ることによって、発明を奨励し、産業の発達に寄与することを目的とする（1条）。発明を公開した者に、その代償として一定期間特許権という独占権を付与して保護するものである。

・「発明」とは、「自然法則を利用した技術思想の創作のうち高度のもの」をいう（2条）。発明には物の発明と方法の発明があり、方法の発明には、物を生産する方法の発明と純粋方法（物の生産を伴わない単なる方法）の発明がある。どのカテゴリーかによって、特許権の及ぶ範囲に差異がある。発明しただけでは特許されない。特許されるにはさらに特許要件（新規性および進歩性）を満たす必要がある（29条）。

・登録によって特許権が発生すると公報に掲載され、内容が公開されるが（66条3項）、特許される前にも一般に公開される（出願から1年6月経過後に出願公開；64条）。

・新しい技術を公開せずに、「営業秘密」として秘匿するという企業戦略をとる方法もある。営業秘密は不正競争防止法によって保護されるが、重複研究、重複投資を避けることができず、産業の発達にとってはマイナスである。そこで発明を公開してもらう代わりに、一定期間独占権を付与して保護しようというのが特許法の趣旨である。特許が切れれば、だれでも自由実施が可能となる。

・特許権の存続期間は出願から20年である（67条1項）。医薬や農薬に関する発明については、5年を限度に存続期間を延長できる（同2項）。

・特許法は登録型の権利付与法である。審査主義を採用するから、どのような発明なのかを「明細書」という書面に明らかにし、権利要求部分を「特許請求の範囲」に記載して特許庁に出願する必要がある。出願するとすべて審査されるわけではない。審査を受けるには、出願から３年以内に「出願審査の請求」をしなければならない（48条の３）。

・審査の結果、特許要件を満たしていれば設定の登録が行われ、特許権が発生する（66条１項）。特許要件を満たしていないと拒絶査定が行われ、これに対しては審判を請求することができる（拒絶査定不服審判；121条）。拒絶審決に対してはその取消しを求めて知財高裁に出訴することができる（178条）。

・特許権者は業として特許発明の実施をする権利を専有する（68条）。第三者による独自発明であっても、その発明を実施することは許されない（絶対的独占権）。独占権であるから、無許諾実施者に対しては、特許権の侵害として、侵害行為の差止め（100条）、被った損害の賠償（民法709条）、業務上の信用回復措置（106条）をそれぞれ請求することができる。

・特許権の侵害であるか否かは、侵害行為が特許法上の実施（２条３項）にあたるかどうかと、その行為が特許発明の技術的範囲に属するかどうかによる。特許発明の技術的範囲は、出願時に願書に添付した特許請求の範囲の記載に基づいて定められる（70条）。

・特許発明の実施にのみ用いる物（専用品）を生産、譲渡等する行為は、直接侵害を誘発し、幇助する行為であり、このような予備的行為も侵害とみなされる（間接侵害、みなし侵害；101条）。

・特許権は財産権であるから、特許権者（ライセンサー）は契約によって他人（ライセンシー）に自己の特許発明を実施させてロイヤリティを得ることができる。特許権を譲渡して対価を得ることもできる。質権を設定して資金を調達することもできる。

## ２．職務発明制度

・わが国の特許出願件数は毎年約30万件前後の水準で推移している。このうち個人出願は２～３％程度にすぎない。ほとんどが法人出願であり、発明は企業内の従業者によって行われている。

・従業者が自分の勤める会社内で行った発明のうち、会社の業務範囲に属し、現在又は過去の職務に属する発明を「職務発明」という。

・わが国特許法は、35条においてたった1条のみ、職務発明の規定を置いている。現行特許法の骨格は昭和34年に旧法（大正10年法）を全面改正してできたものだが、職務発明の規定が現在の形になったのは、大正10年法からである。特許法35条は、

①従業者がした発明であり、

②その発明が使用者の業務範囲に属し、

③発明をするに至った行為が現在または過去の職務に属する発明

を職務発明というと規定する（同1項）。

・特許法は、従業者、会社の役員、公務員を一括して「従業者」と定義している。したがって、発明者が社長であっても職務発明に関しては従業者である。使用者の「業務範囲」とは、定款の定めに限定されない。使用者が現在行っている業務はもちろん、将来行う予定の業務も含む。「職務」とは、使用者から具体的に指揮、命令されていたものに限らず、地位や責任範囲から見て発明することが当然に予定され、期待されている場合も含まれる。過去の職務とは、同一の使用者の下での過去の職務をいう。

・現行特許法は法人発明を認めていない。発明は自然人のみがなしうる。したがって特許を受けることができる者は、本来、発明者である（29条1項柱書）。

・特許法は発明と同時に発明者に「特許を受ける権利」を発生させ、出願の前後を問わず、この権利の移転を認めている（33条1項）。

・発明をした時点で発明者が特許を受ける権利を有するという特許法の基本原則に対し、35条は以下のような例外的な取り扱いをしている。

①使用者は従業者との契約や勤務規則によって、職務発明に関わる権利をあらかじめ承継するよう定めることができる。職務発明でない発明についてそのような定めを設けても無効である（予約承継；35条2項）。

②使用者がそうした権利を行使せず、従業者の職務発明を特許法の原則通り従業者自身の権利とする選択を使用者が行った場合、使用者は、法定の通常実施権を有する（同1項）。

③使用者が職務発明に関する権利を自己の権利としたときには、発明した従業者に対し、「相当の対価」を支払わなければならない（同3項。平

成27年改正同４項は「相当の利益」)。その額は「その発明により使用者等が受けるべき利益の額」と、発明について「使用者等の負担、貢献、従業者等の処遇、その他の事情」を考慮して定められる（平成16年改正同５項、平成27年改正同７項)。

・発明者（従業者）に発生した特許を受ける権利を、勤務規則等の定めに従って会社に譲渡すると、会社が出願人となり、会社が特許権者となるわけであるが、この場合、発明者である従業者には相当の対価が支払われる（報奨金、補償金などと呼ばれる)。

・では、対価の額はどのように決まるのか？　使用者が受けるべき利益の額や従業者の貢献度をどのように考慮するのか？　この点について問題提起したのが、元日亜化学工業の従業者中村修二氏の青色発光ダイオード訴訟(H16.1.30東京地判H13（ワ）17772）である。会社が発明者の中村氏に支払った相当の対価は２万円。裁判で勝ち取った額は200億円であった（発明の対価は604億円と認定された。その後8.4億円で和解が成立)。

・オリンパス光学工業の元従業者が起こした訴訟（H15.4.22最判H13（受）1256）では、会社が従業者の合意の下で発明報酬規程に基づき相当の対価を支払っていたとしても、従業者は会社に対し不足額の支払いを請求することができるとされた。

・これまで職務発明について争うことはほとんどなかった。しかし、終身雇用制、年功序列型の賃金体系が変化している中、従業者が退職後に特許法35条に定める相当の対価の支払いをめぐって使用者を訴えるケースが相次いだ。オリンパスの事件や中村氏が提起した事件は産業界を揺るがせ、ついには特許法35条の見直しが図られるまでに発展し、平成16年に一部改正されるに至った（平成20年には仮実施権の新設があったため、35条においても該当箇所の手当てがなされている)。

## 3．わが国の職務発明制度のあり方

・特許法35条は、従業者、使用者双方の利益のバランスを図って、全体として産業の発達を促すことを目的として定められたと考えられる。しかし、企業内で生まれる発明は千差万別である。はたして、すべての発明に対し一律対価の算定を考える必要があるのだろうか。対価の算定には困難を伴う。英国式に大発明のみに対価請求権を認めるのも一つの手だろう。昇給、昇進、留学等の人事面で優遇したり、あるいは米国式にすべて契約で個別に処理したほうが合理的との考え方もあろう。しかし日本の産業構造、雇用形態等からみてそれが妥当かどうか。

・職務発明の問題は、発明した従業者のみの問題ではない。使用者は、発明させるために従業者を雇い、給料を支払い、研究開発や設備に投資する。しかし、発明が生まれればすぐに利益に結びつくわけではない。出願されない発明もあるし、出願されたが特許されない発明もある。特許を取得したとしても実にその7割は実施されていないという現実もある。発明完成から開発に移され、製品となって企業の収益に結びつくのは、市場の開拓、営業活動、宣伝広告等様々な企業活動の成果である。法律問題に加え、このような企業の現場の実情も理解する必要がある。

・青色発光ダイオードを実用化した中村修二氏のノーベル賞受賞（2014年度）を契機に、職務発明制度が改めて注目され、特許はだれのものか、という職務発明の帰属の問題についての議論が蒸し返されている。

・産業界から抜本的な改正を求める声が強まり、さらに平成27年に改正されるに至った。勤務規則等であらかじめ会社に帰属する旨定めたときは、特許を受ける権利は、その発生の時から会社に帰属することとなった（平成27年改正新3項）。

・また、「相当の対価」を、相当の金銭その他の経済上の利益（「相当の利益」）と改め（平成27年改正新4項）、金銭的対価以外の処遇も含まれることとなった。

### ■実用新案法

・実用新案法が保護対象とするのは「考案」である。考案は「自然法則を利用した技術的思想の創作」であり（2条1項）、発明の定義と同じである。そのため小発明ともよばれる。違いは「高度」の文言がないこと。しかし、高度な考案も存在するし、それほど高度でない発明も存在するから、意味のある区別ではない。考案は「物品の形状、構造又は組合せ」（1条）に係るものであるから、「方法」の考案は実用新案法にはない。特許と実用新案間で対象が重複することがあるので、相互に出願変更を認めている（特許法46条1項、実用新案法10条1項）。また、意匠の対象である物品の形状とも重複することがあるので、実用新案と意匠間でも相互に出願変更を認めている(実用新案法10条2項、意匠法13条2項)。

・明治18年に特許制度が導入された当時は、わが国に高度な技術開発能力がなかったため、小発明（考案）を奨励する趣旨から、明治35年に実用新案法が制定され、実用新案制度は大いに活用されてきた。しかし近年の技術開発力の進展によりその役割は低下している。

・実用新案は無審査である。平成5年に大改正を行い、これまでの審査主義から、無審査主義に移行した。登録要件につき審査することなく実用新案権が発生する（14条)。この点他の産業財産権と大きく異なる。

・実用新案権侵害が起きた場合、権利侵害を主張しても、審査を経ていない権利なので、実体的登録要件を具備していない無価値の権利の可能性がある。そのため、権利主張をする場合は、それに先立って、特許庁に対し技術評価(12条）を請求し、その報告書である「技術評価書」を相手方に提示して警告した後でないと権利行使ができないこととしている（29条の2)。

・実用新案権の存続期間は出願から10年である（15条)。

## ■半導体集積回路配置法（半導体チップ法）

・半導体集積回路は、コンピュータをはじめ自動車や医療機器、家電製品等幅広く使用され、商品の小型化、軽量化、高性能化をもたらした。

・半導体集積回路そのものは発明であり特許の対象となるが、その設計過程においてコストと労力がかかるのは回路配置である。半導体集積回路の集積度は、回路配置やレイアウトデザインの巧拙によって左右され、その開発コストは半導体集積回路の集積度が上がるにつれ飛躍的に上昇する。そのため創作された回路配置を模倣から保護する必要が生まれた。当初は著作権法や意匠法または特許法による保護が検討されたがいずれも適切でなく、固有の法律を制定するに至った。先駆けとなった米国は1984年に半導体チップ法を制定し、半導体産業の成長期にあったわが国も翌年1985年に半導体集積回路の回路配置に関する法律を制定し、両国の動きに欧州諸国が追随した。
・回路配置の創作をした者は、経産省に申請することにより登録を受けることができる（実際の登録事務は一般財団法人ソフトウェア情報センターが行っている)。無審査である。
・権利（「回路配置利用権」）は、他人が独自に創作した回路配置の利用には及ばない（著作権と同様の相対権)。権利存続期間は登録から10年である（10条２項)。

■種苗法
・コメの「つや姫」やイチゴの「とちおとめ」のような植物の新品種について品種登録し、育成者を保護するための法律に種苗法がある。
・登録するには農水省に出願する必要がある。区別性、均一性、安定性、名称等の登録要件につき審査が行われ（現地調査や栽培試験が行われることもある)、登録されると「育成者権」が発生し（19条１項)、品種登録の日から25年、永年性植物については30年保護される（同２項)。
・品種登録されると、登録品種と同一または特性により明確に区別できない範囲での品種の種苗、収穫物、加工品を無断で利用する者に対し差止請求（33条)、損害賠償請求（民法709条）をすることができる。
・令和２年改正で、育成者権者が、輸出先国と国内の栽培地域を指定することが可能となり（海外持ち出し禁止と指定地域外の栽培禁止)、登録品種の収穫物から種や苗を採って次の作付けに使う「自家増殖」には、育成者権者の許諾が必要となった。また登録品種の流通時に加え、輸出の制限や栽培地域の制限がある場合には、登録品種である旨表示することが義務づけられた。
・植物の新品種は、発明として特許要件（新規性や進歩性等）を満たせば特許として登録することも可能である。
・品種登録を受けた品種名と商標登録を受けた商標が同一または類似の場合は、出所の混同をきたすおそれがあるので、種苗法、商標法の両者で調整規定が置かれている。すなわち種苗法では登録商標と同一または類似の名称を品種名称とすることが禁止され（種苗法４条１項２号、３号)、商標法では登録品種名称と同一または類似の名称を登録商標とすることが禁止される（商標法４条１項14号）。たとえば、苗木の登録品種に「ベンジャミン」があるときに、「植木の貸与」を指定役務とする商標「ベンジャミン」は登録することができない。なお、品種登録が消滅した後は普通名称となる。

■地理的表示法（GI）

・品質、社会的評価その他確立した特性が産地と結びついている産品について、その名称を知的財産として保護し、生産者の利益と需要者の信頼の確保を図ることを目的として2014（平成26）年地理的表示法が制定された。
・地理的表示の登録を受けた産品にはGI（geographical indication）マークが付され、真正な特産品であることが明示され差別化が図られる。生産地以外の者や同じ生産地の者でも、生産基準を守らない者がその産地名称を使用することは禁止される。
・「あおもりカシス」（青森市）、「但馬牛」（兵庫県）、「夕張メロン」（夕張市）などが登録されている。
・地理的表示は、不正競争防止法においても原産地品質等誤認惹起行為を禁止するなどして保護が図られている。

■その他の表示規制法

## １．商法、会社法（商号）

・商人が営業上自己を表すために使用する名称を「商号」という。商号は商人の識別標識である。商標とは、商品・役務の識別標識であるから、商標と商号は違う。ただし、商号と同じ名称を商標として採択することは可能である。
・会社を設立するには商号を決定しなければならないが、平成17年に会社法が旧商法から独立制定され、商法、商業登記法も改正されて、登記時の類似商号規制が撤廃された。
・商号は登記することができるが（商法11条２項）、既登記商号と同一でなければよく、類似商号の登記が可能となった（商業登記法27条）。

・不正の目的で他社と誤認されるような商号の使用は禁止される（商法12条1項、会社法8条1項）。したがって、類似の商号を使用することによって他社の営業上の利益を侵害する場合には、不正競争防止法の規制を受ける。

## 2．景品表示法（不当表示）

・商品には商標のみが付されているわけではない。原材料の生産地や効能、使用上の注意、製造日、製造元、価格などさまざまな表示がなされており、その商品に関する情報を消費者に伝達している。これらの情報のおかげで、市場での購買行動が円滑になる。
・表示が円滑に機能するには、競争に参加する供給者（事業者）が虚偽の表示を行わないことが前提であるが、この表示が虚偽であると、消費者を欺き、適正な商品選択を誤らせる。表示は正しく適切でなければならないのは当然のことといえる。
・虚偽表示（不当表示）を禁止する法律として独禁法の特別法として制定された「不当景品類及び不当表示防止法」（「景品表示法」以下「景表法」）という法律がある。
・景表法の制定は1960年の「にせ牛缶事件」がきっかけである。缶詰メーカーが鯨肉、馬肉等を材料とする缶詰を牛肉と装って販売していた事件である。公正取引委員会（公取委）は、このような欺瞞的表示による販売を不公正な取引方法の一種である「不当顧客誘引行為」ととらえ、このような販売方法の一掃を図った。しかし、このような販売方法は缶詰業界に限られないため、あらゆる業種を対象としてこのような表示を規制するために制定されたものである。
・従来、景表法違反行為は独禁法19条に違反する不公正な取引方法にあたるとみて独禁法違反行為に対する手続規定を適用していた。しかし、平成21年の「消費者庁」の設立に伴って、違反行為の処分権限は公正取引委員会から消費者庁に移管され、景表法も改正されて、独禁法の特例から、消費者法にその位置づけを転換している。
・現行景表法は「商品及び役務の取引に関連する不当な景品類及び表示による

顧客の誘引を防止するため」に「一般消費者の選択を阻害するおそれのある行為の制限及び禁止を定め」、「一般消費者の利益を保護することを目的」としている（１条)。

## ３．消費者保護法としての商標法

・商標法は、あくまで商標を使用する者（事業者）の業務上の信用維持を図ることが目的であって、一般消費者を直接保護することにはなっていない。「あわせて需要者の利益を保護することを目的とする」とされてはいるが（１条)、個々の消費者による差止請求（消費者訴訟）を認めていないため、消費者の保護は、権利者の保護を通じて反射的になされているにすぎない。
・商標法と不正競争防止法は、知的財産法の仲間とされ、直接消費者を保護するために制定された法ではない。しかし、消費者保護のために利用することは可能だと思われる。商標法と不正競争防止法を消費者保護法として位置付け、景表法等とともに「機能的消費者保護法」として体系化する、それは今後の課題である。

※以上で、今年度の「企業法務 / 知的財産法」講義を終了する。ブランド保護に関する知的財産法を学んだ、と同時に法律の考え方、使い方も学んだ。興味を持てたであろうか。法律とは取り締まるもの、小難しい理屈をこねるもの、常識の通用しない世界、とのイメージを払拭できたなら望外の喜びである。巻末の参考文献等を参考に、さらに学習をすすめていただきたい。

# 補講　答案の書き方

## ■法律学の発想

・経済学や商学を専門に学ぶ人たちが民法を学ぼうとするときに違和感を覚えるのは、その学問的な発想の違いである、と民法学者の池田真朗が語っている（『民法への招待』第三版　税務経理協会　245頁）。池田自身、経済学部出身で、後に法律を学び始め民法学者になった人である。この違和感は、民法の試験を受けて答案を書くというときにあらわれるようだ、として同書に書いているので紹介する（245〜246頁）。「民法」を「知的財産法」に置き換えても同じだろう。答案の書き方がわからないとの質問が少なからずあるので、参考にしてほしい。

---

「たとえば、経済原論と民法を比較してみよう。誤りを恐れずにいえば、経済原論というのは、人間の行動の分析から生まれた科学であり、したがって経済原論の問題は、一種のシミュレーションとして出題される。つまり、たとえば一般にこういう状態なら消費者はどう行動するか、というような研究から経済理論が組み立てられているので、問題の出し方も、『いま仮に社会において……と……が一定であり、……（たとえば利子率）だけが動くとしてどうなるか』という形でされるのである。これに対して民法の場合は、問題文に、『ＡとＢはこういう内容のＡの土地を使う契約を結び、これに対してＣが無断でＡの土地に入り込み云々』などということが書いてあったら、まずは書かれているすべての指標を使って、現実の法律関係を把握することに努めなければならない。当事者の意思によるルール作りを最優先し、それが明らかでない場合に民法のルールを用いる、というのであるから、問題文から当事者意思を想定し、契約の性質を（たとえば、これは賃貸借契約で、というように）決定し、その上で問題文に出てきた状況のすべてを判断して適用される条文を探し、その規定が適用された結果、当事者の持つべき権利や義務がどうなるかを論じるの

である。つまり、経済原論の問題は『仮想現実のシミュレーション』であり、民法の問題は、『どこかに実際にありうる個別紛争状態の設定と解決』である。さらに民法のルールは、世の中でよく行われているルールを一般化しているものが多いのだが、といっても、そこは当然、『かくあるべき』という規範意識が含まれている。当事者の意思に任せるといっても、反社会的なルールの形成は許されないのである。この規範性の点も、経済原論には原則として含まれない要素である。

このような違いを意識して学習することが、たとえば大学の経済学部生や商学部生の皆さんには、かなり有益なことかもしれない。」

※アンダーラインは筆者

■条文・判例・学説

・わが国は成文法主義を採用するから、条文が法である。条文が法源（法の妥当根拠）といっても、条文に書かれたものだけですべてをカバーできるわけではない。条文にない法概念が、判例によって要件化される場合もある。条文に書かれている言葉の意味内容が判例によって明確化することもある。

・たとえば「周知商標」という場合、実は「周知」という文言は商標法にはない。条文上は「需要者の間に広く認識されている商標」である。「周知」は実務上使われ定着している。しかし「周知」といっても、どの程度広く知られていなければならないのかは問題である。

・不正競争防止法では「著名」な商品等表示という文言がでてくる。しかし「著名」とは何かの定義はない。「周知」と「著名」ではどう違うのか。そこで解釈が生まれる。判例でどう判断されたか、具体的事案の中で裁判所が解釈、認定したところを参考にするのである。

・条文や判例の文言を使いながら、理解した自分の言葉で書く。理由付けの根拠となる条文は、文章の最後にカッコ書きしてその条数を示す。答案は条文を丸写ししてつなぎ合わせることではないので注意してほしい。

・判例とは、最高裁判所の判決によって確定された司法の見解が固まったもののみをいい、地裁、高裁の下級審レベルの判決は「裁判例」といって厳密には区別している。もちろん、すべての事件が最高裁に上告されるわけではないから、最後まで争わないということであれば地裁や高裁で確定する。裁判所の判断はその事件限りのものであり、後続の類似事件に拘束力をもつわけではないが、最高裁の判例は先例として事実上の拘束力があり、条文と同等の重みがある。

・学説は、ある学者のひとつの考え方であるから、これを鵜呑みにすることは避けたい。基本書、体系書と呼ばれるものも、所詮は書いたその学者の考え方に基づく条文の解釈にすぎない。ほとんどの学者が賛成している場合、これを「通説」というのである。現在は「少数説」、「異説」であっても、時代や状況の変化によってこれが逆転することもありうる。

・裁判所の見解もひとつの学説とみることができるが、公権的判断である点において通説化する傾向にある。

・過去の確定的な判例が、時代の変化や、合理性が失われたと考えられる場合、学説が判例を批判して判例が変更になることもある。学説が先行して問題提起を行い、判例がそれに追随することもある。

■文献案内

・試験答案、レポートの書き方指南として、弥永真生『法律学習マニュアル 第4版』(有斐閣、2016年)。

・法令解釈の参考書として、林修三『法令解釈の常識』(日本評論社、1975年)。

・判例研究は欠かせないので、『別冊ジュリスト No. 248　商標・意匠・不正競争判例百選　第2版』(有斐閣、2020年)。

・商標のしくみについては実務家向けの、小谷武『新商標教室』(弁護士会館ブックセンター出版部 LABO、2013年)。

・不正競争防止法については最新のものではないが、平成5年の全面改正時の立法者が解説している、山本庸幸『不正競争防止法入門』(ぎょうせい、1994年)。

・本格的に学ぼうという向きには以下を。いつかは読みたい体系書の最高峰。
小野昌延、三山峻司『新・商標法概説』(青林書院、2009年)
小野昌延、松村信夫『新・不正競争防止法概説』(青林書院、2011年)

■コラム4

## 中央大学法学部通信教育課程の学生に向けた、あるインストラクターの独白

### 「HOW」と「WHY」のあいだ

私は、2003年6月から、中央大学法学部通信教育課程のインストラクターを委嘱され、以来「知的財産法」のレポート添削および卒論指導を担当してきました。今年でまる10年になります。皆様からいただくレポートは、週2回、水曜日と土曜日に郵送されてきます。1回に3通ほどですから、週に6通、1年を52週として、年間で312通ということになります。もちろん時期によって増減があり、夏期スクーリング直後や、試験が近づくと、週に40通近くなることもあります。ほとんど途切れることなくコンスタントに10年続いたとなると、単純に計算しても3,000通ほどのレポートを拝見させていただいたことになります。

知的財産法の昨年までのレポート課題の第1課題は、知的財産法の中心的科目である特許法と著作権法について、両者の制度設計がなぜ異なるのか、その理由を求めるもので、両者がどうなっているか（HOW）ではなく、なぜそうなっているか（WHY）を考えさせる良問でした。

ところが、いただくレポートのほとんどが、どうなっているか、つまりHOWのレベルにとどまる答案で、「なぜ」（WHY）に答えるところがありません。不合格としてお返しし、再提出を求めてもHOWのままです。また、一度不合格になるとプライドをいたく傷つけられたとお感じになるのか、二度と提出することがないことも多いのです。しかし、レポートは、再提出を何度か繰り返すことで理解が深まるのも事実で、一度で合格する必要はまったくありません。合格するまで繰り返し挑戦していただきたいと思います。

これまで皆様からいただいたよくある解答のパターンから、私がレポートの指導欄でアドバイスしてきた内容を紹介したいと思います。第1課題は以下のようなものでした。

① 特許権と著作権（著作財産権）を比較して、それぞれの侵害訴訟において両者の権利範囲（保護範囲）の認定の手法がどのように違うかを説明しなさい。説明する際、必ず「依拠」の語を含むこと。
② なぜ、①のような違いが生じたのか説明しなさい。

これに対しては、

本問が要求するのは、1．特許権侵害訴訟における権利範囲の認定手法、2．著作権侵害訴訟における権利範囲の認定手法、3．両者でなぜ違いが生じたのかその理由、の3点です。1．では特許法70条と均等論について触れ、2．では「依拠」が明文化されておりませんので、これが要件化されたワン・レイニー・ナイト・イン・トーキョー最高裁判決に言及することが必須です。さらに両者でなぜ違いが生じたのか、その理由について説明していただかなければなりません。つまり、著作権法にはなぜ特許法のようなクレームという制度がないのか、あるいは特許法にはなぜそのような制度を設けたのかを考えていただくことになります。上記1．と2．が書けても、3．の理由のないものは不合格です。

としてお返ししてきました。

設問①に関しては勉強が進めば両者の違いを容易に指摘できるはずで、①については両者がどうなっているか、現行制度の仕組みを説明する部分ですから、HOWのレベルであり、教科書の知識で十分対応することができます。重要なのは設問②であり、ここでは現行制度の仕組みがどうなっているかを説明することではありません。なぜ違いが生じたのかが問題とされており、WHYに答えなくてはなりません。

しかるに、ほとんどの答案が、特許法は方式主義を採用し、公示制度を設け、権利は絶対的独占権で、法目的は産業の発達にあり、著作権法は無方式主義、公示制度を持たず、権利は相対的独占権で、法目的は文化の発展にあるから、とするのみです。しかしこれでは、現行両制度がどうなっているかの説明であって、そうであるとなぜ特許法ではクレームという制度で権利範囲を認定し、著作権法では特許法のような制度をもたないのか依然として不明のままです。

> 肝心の3．の理由については、制度そのものの説明であり、「なぜ」には答えていません。同じ知的創作物（創作法）でありながら、異なった制度設計をしたのは、一方が産業発達のため、一方が文化発展のため、とするのみで、法目的が違うとどうして権利範囲の認定手法に違いが出るのでしょうか。

ということになり、②については、上記のように書いて再度お返しせざるを得ません。理由とはいったいなんでしょうか。

> 保護対象の特質の差に注目すべきです。すなわち、端的に「技術」と「芸術」の差にあるのではないでしょうか。特許の対象である「技術」というのは、課題に対する最適方法の追求ですから、やがては1つに収斂していく世界です。つまり、進歩という尺度で保護に値するか否かを判断することが可能です。したがって、現在の技術水準はどこまでかを公開し、クレームという制度で権利範囲を明確にしておく必要があります。一方、著作権の対象は「芸術」であって、その本質は個性ですから、多様性の世界です。課題解決のために同じ1つの方向に収斂させる必要はありません。個性に絶対的な基準はなく、優劣を判断することもできません。「依拠」しなければよいわけですから、著作権の権利範囲を明確にする必要は特許権と比べて低く、したがって特許法のようなクレームという制度は存在しないということになるのではないでしょうか。

以上が設問②に対する私の理解です。HOW と WHY のあいだには深い溝が横たわっています。容易に越え得ない隔たりがあります。WHY はおそらく HOW を語り尽くさなければ到達することができません。乗り越える努力が必要です。

2013年度のレポート課題が一新されました。しかし、WHY を求めていることに変わりはありません。知的財産法は採点が厳しくてなかなか合格しないという風評がたち、そのせいか、最近は敬遠する傾向にあるようで、いただくレポートの数も激減しています。これは大変残念なことといわなければなりません。知的財産法は応用民法といわれるように、人間の精神的活動の成果を所有権のコンセプトを借用して保護するものであり、審判手続や侵害訴訟は民事訴訟法そのもので、審決取消訴訟は行政法と関係する分野です。知的財産法を勉強することで、民法、民事訴訟法、行政法といった基本法の理解が深まり、基本法の理解が逆に知的財産法をより深く理解することにつながる、という関係にあります。基本法の理解のためにも、是非知的財産法に挑戦してみてください。そしてWHYについて深く考えてみてください。皆様のご検討を祈ります。

※追記：2014年３月をもって10年に及んだ通信教育のインストラクターを終了した。

## 索引

### 項目

#### あ行



#### か行

## さ行

## ま行



## や行



## ら行

## 法令

法令は、令和６年４月１日現在の内容による。本文中の根拠条文について、前後の文脈からどの法令かわかる場合には、法令名は省略している。

### 商標法

## 商標法施行令



## 商標法施行規則



## 不正競争防止法

### 意匠法



### 意匠法施行規則



### 著作権法

### 特許法

## 特許法等関係手数料令



## 実用新案法



## 半導体集積回路配置法（半導体チップ法）



## 種苗法



## 関税法



## 知的財産基本法



## 憲法

### 行政事件訴訟法



### 民法



### 刑法



### 商法



### 会社法



### 商業登記法



### 景品表示法



### TRIPS 協定



### パリ条約



### 商標法条約

## 審決



## 判例

## 引用・参考文献


- 経済産業省特許庁企画『産業財産権標準テキスト総合編　第２版』発明協会、2008
- 経済産業省特許庁企画『産業財産権標準テキスト総合編　第５版』発明推進協会、2019
- 経済産業省特許庁企画『産業財産権標準テキスト商標編』発明協会、2004
- 経済産業省特許庁企画『産業財産権標準テキスト意匠編』日本デザイン保護協会、2005
- 経済産業省特許庁監修『事業戦略と知的財産マネジメント』発明協会、2011
- 知財駆け込み寺連携事業『知的財産権制度QA集』特許庁、2008
- 特許庁平成18年度『知的財産権制度入門』
- 「商標の審査基準」平成19年度『知的財産権制度説明会（実務者向け）テキスト』
- 「意匠の審査基準及び審査の運用」平成19年度『知的財産権制度説明会（実務者向け）テキスト』
- 特許庁編『工業所有権法（産業財産権法）逐条解説　第17版』発明協会、2008
- 兼子一・染野義信『工業所有権法　改訂版』日本評論社、1968
- 茶園成樹編『知的財産関係条約』有斐閣、2015
- 高倉成男『知的財産法制と国際政策』有斐閣、2001
- 後藤晴男『新訂増補版パリ条約講話』発明協会、1994
- 尾島明『逐条解説TRIPS協定』日本機械輸出組合、1999
- 中川淳司『WTO　貿易自由化を超えて』岩波新書、2013
- 最高裁判所事務総局行政局監修『知的財産権関係民事・行政裁判例概観』法曹会、1993
- 司法研修所編『工業所有権関係民事事件の処理に関する諸問題』法曹会、1995
- 知的財産裁判実務研究会編『知的財産訴訟の実務』法曹会、2010
- 大渕哲也・茶園成樹・平嶋竜太・蘆立順美・横山久芳『知的財産法判例集』

有斐閣、2005
・我妻栄編『別冊ジュリスト No. 14　商標・商号・不正競争判例百選』有斐閣、1967
・中山信弘・大渕哲也・茶園成樹・田村善之編『別冊ジュリスト No. 188　商標・意匠・不正競争判例百選』有斐閣、2007
・小野昌延先生喜寿記念『知的財産法最高裁判例評釈大系II　意匠法・商標法・不正競争防止法』青林書院、2009
・豊崎光衛『工業所有権法　新版・増補』有斐閣、1980
・蕚優美『改訂　工業所有権法解説〔四法編〕』ぎょうせい、1982
・小野昌延『知的財産法入門〔第２版〕』有斐閣、1996
・盛岡一夫『工業所有権法概説』法学書院、1985
・盛岡一夫『知的財産法概説　第４版』法学書院、2007
・紋谷暢男『知的財産権法概論　第２版』有斐閣、2009
・紋谷暢男『知的財産権法・競業法論集』商事法務、2013
・紋谷暢男・渋谷達紀・満田重昭『現代経済法講座７　新技術開発と法』三省堂、1993
・土肥一史『知的財産法入門　第９版』中央経済社、2006
・田村善之『知的財産法　第４版』有斐閣、2006
・渋谷達紀『知的財産法講義I　第２版』有斐閣、2006
・渋谷達紀『知的財産法講義II　第２版』有斐閣、2007
・渋谷達紀『知的財産法講義III　第２版』有斐閣、2008
・角田政芳・辰巳直彦『知的財産法　第３版』有斐閣アルマ、2006
・辰巳直彦『体系化する知的財産法　上・下』青林書院、2013
・小泉直樹『知的財産法入門』岩波新書、2010
・茶園成樹編『知的財産法入門』有斐閣、2013
・平嶋竜太・宮脇正晴・蘆立順美『入門知的財産法』有斐閣、2016
・永田眞理『Q&A 知的財産権の考え方』日経文庫、1996
・棚橋祐治・高倉成男『ホーンブック知的財産法I』北樹出版、2006
・相澤英孝・西村ときわ法律事務所編著『知的財産法概説』弘文堂、2005
・末吉亙編著『実務　知的財産法講義　新版』民事法研究会、2012

・廣瀬隆行『企業人・大学人のための知的財産権入門』東京化学同人、2006
・工業所有権法研究グループ編『21訂版　知っておきたい特許法 ── 特許法から著作権法まで』朝陽会、2016
・大矢息生・杉田就・三澤正義編著『特許・意匠・商標の法律相談』学陽書房、2003
・竹田稔『知的財産権訴訟要論（特許・意匠・商標編）』発明推進協会、2012
・三山峻司・松村信夫『実務解説　知的財産権訴訟』法律文化社、2003
・清永利亮・本間崇編『実務相談工業所有権四法』商事法務研究会、1994
・同志社大学知的財産法研究会編『知的財産法の挑戦』弘文堂、2013
・紋谷暢男編『商標法50講　改訂版』有斐閣、1979
・江口順一監修『Q&A 商標法入門』世界思想社、2001
・三宅正雄『商標　本質とその周辺』発明協会、1984
・三宅正雄『商標法雑感』冨山房、1973
・兼子一・染野義信『新特許・商標 ― 新装版 ―』青林書院新社、1964
・光石士郎『新訂商標法詳説』帝国地方行政学会、1976
・渋谷達紀『商標法の理論』東京大学出版会、1973
・網野誠『商標　第６版』有斐閣、2002
・網野誠『商標法の諸問題』東京布井出版、1978
・網野誠『続商標法の諸問題』東京布井出版、1983
・網野誠『商標法あれこれ』東京布井出版、1989
・小野昌延『商標法概説』有斐閣、1989
・小野昌延『商標法概説　第２版』有斐閣、1999
・小野昌延・三山峻司『新・商標法概説』青林書院、2009
・小野昌延編『注解　商標法』青林書院、1994
・田村善之『商標法概説　第２版』弘文堂、2000
・平尾正樹『商標法　第２次改訂版』学陽書房、2015
・江口俊夫『わかり易い商標法』通商産業調査会、1971
・江口俊夫『改訂商標法解説 ― 平成３年法 ―』蕚工業所有権研究所、1994
・江口俊夫『新しいサービスマークの登録制度』発明協会、1991
・江口俊夫『ブランドおもしろ情報』発明協会、1983

・工藤莞司『商標法の解説と裁判例　改訂版』マスターリンク、2015
・工藤莞司『実例で見る商標審査基準の解説　第八版』発明推進協会、2015
・特許庁編『商標審査基準〔改訂第11版〕』発明推進協会、2015
・特許庁編『商標審査基準〔改訂第13版〕』発明推進協会、2017
・石川義雄監修・中村英夫『工業所有権実務大系５　商標の実務』発明協会、1982
・特許庁商標審査実務研究会編著『改訂２版　商標実務の基礎知識』経済産業調査会、2007
・入野泰一『知っておきたい改正商標法』大蔵省印刷局、1997
・商標法実務研究会編『こんなに大変　改正商標法の徹底実務対策』日本法令、1997
・特許庁総務部総務課工業所有権制度改正審議室編『商標法への道しるべ』発明協会、1997
・後藤憲秋『知的財産法講義　商標・意匠』六法出版社、1997
・末吉亙『商標法』中央経済社、2002
・小谷武『商標教室　基礎篇』トール、2003
・小谷武『商標教室　判例研究篇Ⅰ』トール、2003
・小谷武『商標教室　判例研究篇Ⅱ』トール、2003
・小谷武『新商標教室』弁護士会館ブックセンター出版部LABO、2013
・小林十四雄・小谷武・西平幹夫編『最新判例からみる商標法の実務』青林書院、2006
・小林十四雄・小谷武・足立勝編『最新判例からみる商標法の実務Ⅱ』青林書院、2012
・茶園成樹編『商標法』有斐閣、2014
・古関宏『商標法概論　制度と実務』法学書院、2009
・西村雅子『商標法講義』発明協会、2010
・虎ノ門総合法律事務所『わかって使える商標法』太田出版、2017
・青木博通『知的財産権としてのブランドとデザイン』有斐閣、2007
・青木博通『新しい商標と商標権侵害　色彩、音からキャッチフレーズまで』青林書院、2015

・棚橋祐治監修・明石一秀・小川宗一・高松薫・松嶋隆弘編著『ブランド管理の法実務 ── 商標法を中心とするブランド・ビジネスと法規制』三協法規出版、2013
・高林龍・三村量一・竹中俊子編『現代知的財産法講座Ⅰ　知的財産法の理論的探究』日本評論社、2012
・髙部眞規子『実務詳説　商標関係訴訟』金融財政事情研究会、2015
・髙部眞規子編『裁判実務シリーズ８　著作権・商標・不競法関係訴訟の実務』商事法務、2015
・土肥一史『商標法の研究』中央経済社、2016
・小島庸和『商標と法の研究』五絃舎、2018
・清水節・髙野輝久・東海林保編著『Q&A 商標・意匠・不正競争防止の知識100問』日本加除出版、2016
・小野昌延・小松陽一郎編『商標の法律相談　改訂版』青林書院、2002
・寒河江孝允監著・小南明也編著『商標の法律相談』学陽書房、2004
・村林隆一先生還暦記念『判例商標法』発明協会、1994
・久野浜男・石川研雅『（初版）条文を捉えるⅣ〔商標法〕』PATECH 企画、2010
・金井重彦・鈴木將文・松嶋隆弘編著『商標法コンメンタール』レクシスネクシス・ジャパン、2015
・木村三朗・大村昇『商標がわかる12章』ダイヤモンド社、1984
・木村三朗・大村昇『新・商標とサービスマークがわかる12章』ダイヤモンド社、1997
・奥田百子『なるほど図解　商標法のしくみ　第２版』中央経済社、2012
・深井俊至『最新判例にみる類似商号をめぐる紛争〜不正競争・商標権侵害〜』日本法令、2006
・小川孔輔『ブランド戦略の実際　第２版』日経文庫、2011
・石井淳蔵『ブランド　価値の創造』岩波新書、1999
・田中洋『企業を高めるブランド戦略』講談社現代新書、2002
・山口朔生『比較広告はここまでできる』中央経済社、1993
・髙橋誠『最新のネーミング強化書』PHP ビジネス新書、2015

・日本ネーミングサービスネーミング開発研究会『ネーミングルールブック』グラフィック社、1994
・天野祐吉ほか編著『たのしいネーミング百科』三省堂、1995
・経済産業省知的財産政策室編著『不正競争防止法』2014
・経済産業省知的財産政策室編著『不正競争防止法』2019
・山本庸幸『不正競争防止法入門』ぎょうせい、1994
・山本庸幸『要説　不正競争防止法　第３版』発明協会、2002
・奈須野太『不正競争防止法による知財防衛戦略』日本経済新聞社、2005
・播磨良承編『Q&A 不正競争防止法入門』世界思想社、1988
・小野昌延『不正競争防止法概説』有斐閣、1974
・小野昌延『不正競争防止法概説』有斐閣、1994
・小野昌延・松村信夫『新・不正競争防止法概説』青林書院、2011
・小野昌延先生還暦記念『判例不正競業法』発明協会、1994
・小野昌延編著『新・注解　不正競争防止法』青林書院、2000
・田村善之『不正競争法概説』有斐閣、1994
・田村善之『不正競争法概説　第２版』有斐閣、2003
・満田重昭『不正競業法の研究』発明協会、1985
・田倉整・元木伸編『実務相談不正競争防止法』商事法務研究会、1989
・豊崎光衛・松尾和子・渋谷達紀『不正競争防止法』第一法規出版、1982
・通商産業省知的財産政策室監修『逐条解説不正競争防止法』有斐閣、1994
・加藤恒久『意匠法要説』ぎょうせい、1981
・加藤恒久『改正意匠法のすべて』日本法令、1999
・加藤恒久『部分意匠論 ── 意匠法の目的とその現代的展開』尚学社、2002
・紋谷暢男編『意匠法25講　改訂版』有斐閣、1985
・中川淳監修『Q&A 意匠法入門』世界思想社、1994
・茶園成樹編『意匠法』有斐閣、2012
・満田重昭・松尾和子編『注解　意匠法』青林書院、2010
・寒河江孝允・峯唯夫・金井重彦編著『意匠法コンメンタール〈第２版〉』レクシスネクシス・ジャパン、2012
・渡邉知子・龍村全『知的財産権とデザインの教科書』日経 BP 社、2009

・木全賢・井上和世『中小企業のデザイン戦略』PHP ビジネス新書、2009
・辻本一義監修・辻本希世士『「商品のモノマネ」のルール』PHP ビジネス新書、2009
・稲穂健市『楽しく学べる「知財」入門』講談社現代新書、2017
・香坂玲編著『知っておきたい知的財産活用術 ―― 地域が生き残るための知恵と工夫』ぎょうせい、2012
・福井健策『著作権とは何か』集英社新書、2005
・福井健策『18歳の著作権入門』ちくまプリマー新書、2015
・半田正夫『インターネット時代の著作権　実例がわかる Q&A 付』丸善、2001
・北村行夫『判例から学ぶ著作権』太田出版、1996
・斉藤博『著作権法』有斐閣、2000
・中山信弘『著作権法』有斐閣、2007
・中山信弘『マルチメディアと著作権』岩波新書、1996
・田村善之『著作権法概説　第２版』有斐閣、2001
・島並良・上野達弘・横山久芳『著作権法入門』有斐閣、2009
・名和小太郎『ディジタル著作権』みすず書房、2004
・加戸守行『著作権法逐条講義　三訂新版』著作権情報センター、2000
・中山信弘『工業所有権法（上）特許法』弘文堂、1993
・島並良・上野達弘・横山久芳『特許法入門』有斐閣、2014
・小泉直樹『特許法・著作権法』有斐閣、2012
・竹田和彦『特許の知識　第８版』ダイヤモンド社、2006
・竹田和彦『特許がわかる12章　第６版』ダイヤモンド社、2005
・竹田和彦『特許はだれのものか　職務発明の帰属と対価』ダイヤモンド社、2002
・帖佐隆『これだけは知っておきたい　職務発明制度　技術者のための特許法の常識』日刊工業新聞社、2002
・帖佐隆『職務発明制度の法律研究　久留米大学法政叢書16』成文堂、2007
・水野忠恒編著『現代法の諸相』放送大学教育振興会、1995
・来生新・鈴木加人・稗貫俊文・向田直範『競争法と消費者法の基礎理論』嵯

峨野書院、1996
・谷原修身『現代独占禁止法要論　3訂版』中央経済社、1998
・川越憲治『独占禁止法　競争社会のフェアネス　第3版』金融財政事情研究会、1997
・川越憲治『その表示・キャンペーンは違反です』日本経済新聞社、1997
・川井克倭・地頭所五男『Q&A 景品表示法』青林書院、2001
・笠原宏編著『景品表示法　第2版』商事法務、2010
・平野鷹子『私たちの消費者法』法律文化社、1997
・髙橋梯二『農林水産物・飲食品の地理的表示 ― 地域の産物の価値を高める制度利用の手引 ―』農山漁村文化協会、2015
・水田耕一『無体財産権と現代ビジネスⅠ』商事法務研究会、1977
・水田耕一『無体財産権と現代ビジネスⅡ』商事法務研究会、1979
・水田耕一『無体財産権と現代ビジネスⅢ』商事法務研究会、1980
・水田耕一『実践不正競業』発明協会、1982
・水田耕一『銀行員のための民商法入門〈第3版〉』金融財政事情研究会、1981
・末弘嚴太郎『工業所有権法』日本評論社、1937
・末弘嚴太郎『末弘著作集Ⅰ　法学入門』日本評論社、1980
・末弘嚴太郎『末弘著作集Ⅳ　嘘の効用』日本評論社、1980
・川島武宜『民法Ⅰ　総論・物権』有斐閣、1960
・川島武宜『所有権法の理論』岩波書店、1949
・川島武宜『日本人の法意識』岩波新書、1967
・川島武宜『科学としての法律学』弘文堂、1964
・川島武宜『ある法学者の軌跡』有斐閣、1978
・川村泰啓『商品交換法の体系Ⅰ　私的所有と契約の法的保護のメカニズム』勁草書房、1972
・沼正也『沼正也著作集14　私論　無体物債権総論』三和書房、1994
・来栖三郎『来栖三郎著作集Ⅰ　法律家・法の解釈・財産法・財産法判例評釈(1)』信山社出版、2004
・来栖三郎『法とフィクション』東京大学出版会、1999

・長尾一紘『日本国憲法　全訂第４版』世界思想社、2011
・伊藤正己・尾吹善人・樋口陽一・戸松秀典『注釈憲法〔新版〕』有斐閣、1983
・香西茂・太寿堂鼎・高林秀雄・山手治之『国際法概説』有斐閣、1967
・田中二郎『新版　行政法　上　全訂第一版』弘文堂、1964
・成田頼明・荒秀・南博方・近藤昭三・外間寛『現代行政法』有斐閣、1968
・木村琢磨『プラクティス行政法』信山社出版、2010
・高林克巳『特許行政法』発明協会、1984
・高林克巳『特許訴訟 — その理論と実務 —』発明協会、1991
・瀧川叡一『特許訴訟手続論考』信山社出版、1991
・村林隆一『審決取消訴訟の実務』経済産業調査会、2001
・中野哲弘『知財審決取消訴訟の理論と実務』日本加除出版、2015
・伊藤滋夫編『知的財産法の要件事実』日本評論社、2016
・平野龍一『刑法概説』東京大学出版会、1977
・中野次雄『刑法総論概要　第三版』成文堂、1992
・藤木英雄・板倉宏『刑法案内』日本評論社、1980
・阿部純二編『別冊法学セミナー No. 141　基本法コンメンタール　改正刑法』日本評論社、1995
・我妻榮『新版　民法案内Ⅰ　私法の道しるべ』一粒社、1967
・我妻榮『新版　民法案内Ⅱ　民法の道しるべ　民法総則』一粒社、1967
・我妻榮『新版　民法案内Ⅲ　民法の道しるべ　物権法総則』一粒社、1968
・我妻榮『新版　民法案内Ⅳ　民法の道しるべ　物権法各論』一粒社、1968
・我妻榮『新版　民法案内Ⅴ　民法の道しるべ　担保物権法（上）』一粒社、1971
・我妻榮『新版　民法案内Ⅵ　民法の道しるべ　担保物権法（下）』一粒社、1972
・我妻榮『新版　民法案内Ⅶ　民法の道しるべ　債権法総論（上）』一粒社、1969
・我妻榮『新版　民法案内Ⅷ　民法の道しるべ　債権法総論（中）』一粒社、1969

・我妻榮『新版　民法案内IX　民法の道しるべ　債権法総論（下）』一粒社、1970
・我妻榮『新版　民法案内Ｘ　民法の道しるべ　債権法各論（上）』一粒社、1974
・中川善之助・深谷松男補訂『新版民法入門　第３版』青林書院、1998
・星野英一『民法概論Ｉ（序論・総則）』良書普及会、1971
・内田貴『民法Ｉ［第２版］補訂版　総則・物権総論』東京大学出版会、2000
・近江幸治『民法講義０　ゼロからの民法入門』成文堂、2012
・池田真朗『民法への招待　第三版』税務経理協会、2005
・池田真朗『スタートライン債権法〔第４版〕』日本評論社、2005
・元木伸『特許民法』発明協会、1976
・金井高志『民法でみる知的財産法　第２版』日本評論社、2012
・中野貞一郎『民事裁判入門』有斐閣、2002
・松本博之・上野桊男『民事訴訟法』弘文堂、1998
・林屋礼二『新民事訴訟法概要』有斐閣、2000
・林屋礼二『あたらしい民事訴訟法――改正ポイント講義』信山社出版、1998
・吉野正三郎『集中講義　民事訴訟法　第三版（新法対応版）』成文堂、1998
・谷口安平『口述民事訴訟法《口述法律学シリーズ》』成文堂、1987
・原増司『証拠調べの話』発明協会、1981
・小山昇『現代法律学全集22　民事訴訟法〔二訂版〕』青林書院新社、1975
・小山昇『民事第一審訴訟手続法入門』青林書院、1998
・中村英郎『民事訴訟法』成文堂、1987
・中村英郎『新民事訴訟法講義』成文堂、2000
・中村英郎『民事訴訟における二つの型　民事訴訟論集　第六巻』成文堂、2009
・和田吉弘『基礎からわかる民事執行法・民事保全法　第２版』弘文堂、2010
・高林龍『知的財産に携わる人のための標準民事手続法』発明推進協会、2012
・中村稔『私の昭和史・完結篇　上』青土社、2012
・中村稔『私の昭和史・完結篇　下』青土社、2012

益子　博（ましこ　ひろし）

略歴：中央大学法学部政治学科卒業
東洋大学大学院法学研究科私法学専攻博士前期課程修了
中央大学大学院法学研究科民事法専攻博士後期課程単位取得退学
国際的な大手商標調査会社、特許庁、日本特許情報機構等を経て中央大学理工学部・商学部兼任講師、茨城大学人文学部非常勤講師、千葉商科大学商経学部非常勤講師等を歴任
主要論文・著書：「商標法における商品の類似」（中央大学大学院研究年報第31号）、『知っておきたい特許法』（14訂版〜21訂版、朝陽会）

知的財産法講義ノート
―ブランド保護法入門―［改訂版］

2021年12月10日　初　版第１刷発行
2024年４月29日　改訂版第１刷発行

著　　者　益子　博
発 行 者　中田典昭
発 行 所　東京図書出版
発行発売　株式会社 リフレ出版
〒112-0001　東京都文京区白山 5-4-1-2F
電話 (03)6772-7906　FAX 0120-41-8080
印　　刷　株式会社 ブレイン


ISBN978-4-86641-780-6 C0032
Printed in Japan 2024